Op de Noordpool!

Max, Milan en Makoto in actie

Marco Kunst
met tekeningen van Mark Janssen

Kijk op www.zwijsen.nl/boj voor het laatste nieuws over de serie B.O.J.

Met dank aan Ward en de andere jongens van het jongenspanel

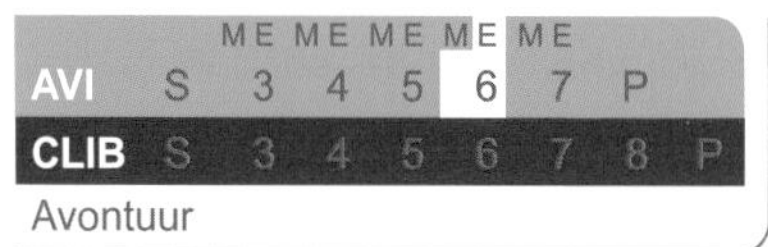

Toegekend door Cito i.s.m. KPC Groep

1e druk 2012

ISBN 978.90.487.1177.2

NUR 283

Tekst: Marco Kunst

Illustraties: Mark Janssen

Foto Ward: Studio Zwijsen

Vormgeving: Natascha Frensch

Voor België:

Uitgeverij Zwijsen.be, Antwerpen

D/2012/1919/180

Inhoud

Hey daar ... Hoi, ik ben Milan ... Persoonlijk was ik misschien wel het liefst gewoon lekker thuisgebleven ... Beetje gamen, beetje chillen, nog een beetje gamen en zo. Je weet wel ... lekker warm op de bank met m'n tablet en iets te knabbelen en zo. Maar nu ik hier toch ben ... eh ... verzorg ik de elektronica en alles wat maar digitaal is. En zo. En dat doe ik best wel goed! Toch?

Hé, ha, hoi, ik ben Max en ik ben natuurlijk de enige echte held van dit verhaal. Dat is knetterlogisch, want ik ben le beste, de snelste en de slimste. Ik ben kampioen skaten en freerunnen ... en oké, er gaat natuurlijk ook wel eens wat mis. En dan gaat het fout en zo, soms heel erg fout. Maar ... eh ... we staan hier al uuuuren, kunnen we nu weer iets gaan doen?!

1. Schiphol

'Gás, pap! Rijden!'
De vader van Max balde zijn handen tot vuisten en sloeg op het stuur. 'Je ziet toch dat we in de file staan! Als ik gas geef ...'
'... dan knal!' vulde Max aan. 'Ja, pap, snap ik. Maar dóé iets!'
Max' vader keek om. 'Ik ... Kan ... Niets ... Doen ...' zei hij langzaam. Hij zag eruit alsof hij ging ontploffen.
Ze stonden al een kwartier muurvast, op een viaduct een paar honderd meter bij de luchthaven vandaan.
De moeder van Max zuchtte. 'We halen het wel, lieverd. Rustig maar.' Ze zei het op een toon alsof ze een dolle hond wilde kalmeren.
Zo voelde Max zich ook, maar hij liet zich niet kalmeren. Hij klikte zijn gordel los en greep zijn rugzak. Toen trok hij het klittenband los waarmee zijn skateboard eraan vastzat en opende het autoportier. 'Dat vliegtuig gaat over tien minuten. Als ik race haal ik het nog. Anders niet ... Dag pap! Dag mam! Bedankt voor het brengen. Tot volgende week!'
Max sprong uit de auto en op zijn board. Als hij strak stuurde, was er net genoeg ruimte om tussen de auto's en de vangrail door naar beneden te suizen.
'Hé!' klonk het achter hem. 'Ben je nou helemaal ...'
Maar Max was al op weg.
'Yes!!' riep hij, terwijl hij vaart maakte en zijn rugzak op zijn rug hees. '*San Francisco, here I come!*'

Op de luchthaven, in de wachtruimte bij Gate B34, knaagde Bob Negelreef aan de nagels van zijn linkerhand. De nagels van zijn rechterhand waren al op, dus hij moest wel. Verbeten keek hij de wachtruimte rond. Iedereen was er, op drie deelnemers na. Maar die drie waren wel de meest talentvolle van de hele ploeg. En híj was hun Officiële Begeleider.
Zonder Max, Milan en Makoto kon Nederland die hele Nolympische Spelen wel vergeten. Misschien dat Jopie Bint een zilveren plak kon halen bij het modderworstelen, en Tanja Dreverhaven maakte kans om tweede of derde te worden bij de éénwielerrace, maar daar hield het wel mee op. Of, nou ja, misschien zou Hassan Benali er iets van bakken op de honderd meter scheefzwemmen, maar ...
FRGTSSGRRR!! Waar bleven die jongens?
Bob keek naar het vel papier in zijn trillende hand: zijn Ontroerende Toespraak. Hij had die in de vertrekhal willen voorlezen, toen alle vrienden en familie van de sporters er nog bij waren.
Maar hij had gewacht ...
En gewacht ...
De ploeg had uiteindelijk afscheid genomen en was de douane doorgegaan. Op de drie jongens na. Daarna had hij hier zitten wachten. En wachten.
De nagels van zijn linkerhand waren nu ook op. Helemaal. Geen flinter meer van af te bijten. Bob sprong op en beende naar het raam. Het vliegtuig stond al klaar.
Als Begeleider Bob niet zo zenuwachtig was geweest en beter had rondgekeken, dan had hij gezien dat het allemaal wel meeviel.

Max was er nog niet, inderdaad. Die racete met steeds grotere snelheid recht op de glazen wand van de entreehal af, terwijl hij tussen rolkoffers, toeristen, vloekende taxichauffeurs, prullenbakken en bagagekarretjes door slalomde. Zijn rugzak was zwaar, daarom was hij minder wendbaar dan anders. Al een paar keer had het een haar gescheeld of hij was ergens bovenop geknald, maar geen haar op zijn hoofd die aan afremmen dacht.
Nee!
HAAST!
Haast, haast, haast!
Aan de kant! Max komt eraan!
Hij had nog zeven minuten.

Bob Negelreef was Officieel Begeleider van de Nederlandse Nolympische Delegatie en Algemeen Hoofd van de Bond van Ongebruikelijke Sporten, maar goed rondkijken had hij nog niet geleerd. Want in het verste hoekje van de wachtruimte zat een van de jongens die hij zocht, ineengedoken, met zijn gezicht naar de muur op de grond.
Milan was inderdaad wat te laat ingecheckt, maar hij zat daar alweer een tijdje. Zijn haren hingen als een gordijn rond zijn gezicht. Hij zat diep voorovergebogen over zijn tablet-computer. Zijn lange, dunne vingers bespeelden het scherm als de vingers van een op hol geslagen concertpianist. Een enorme koptelefoon dekte zijn oren af, daarom had hij niets gehoord van alle oproepen van mijnheer Negelreef.
Alles was cool, dacht Milan zelf, want hij was precies waar hij wezen moest. Hij moest alleen nog een paar dingetjes in orde maken, voor hij in dat vliegtuig stapte. De

afgelopen vier jaar was hij nooit langer dan twee uur achter elkaar offline geweest, en dan zou hij nu ineens onderweg naar San Francisco bijna twaalf uur zonder internet zitten! Zijn team rekende op hem; hij moest ze allemaal persoonlijk instructies geven. Alle dertig digibavianen met wie hij nu al zolang optrok in *Baboon Empire*, het onlinespel waarin hij derde was op de wereldranglijst. Daarom – en omdat hij in nog twee andere games landskampioen was – was hij geselecteerd om mee te gaan naar de Nolympics. Dan mocht hij de boel nu toch wel even goed regelen? Bovendien, als hij eenmaal in *Baboon Empire* zat, vergat hij alles om zich heen. Hij wás dan Bono Baboon – een goudkleurige aap met groene strepen – en hij leefde in het oude Egypte, 3000 jaar voor Christus. Het veroveren van Egypte op de farao en het vernietigen van de mensheid was het enige waar hij dan mee bezig was. *Baboon Empire* was de geweldigste game die ooit was gemaakt, en Milans bavianen zouden Egypte veroveren. Binnenkort.
Maar het kreunen en mopperen van Bob hoorde Milan niet, en van de rest van de Nolympiërs trok hij zich niets aan. Hij vond het maar rare lui.

Max vloog door een van de draaideuren hijgend de vertrekhal in, sprong van zijn board, pakte het in één soepele beweging op, terwijl hij in de richting van de beeldschermen rende waarop de vertrektijden stonden. Iemand duwde sloom een bagagekarretje tussen hem en de schermen. Max remde niet af, maar stond in één sprong boven op de koffers op het karretje. Je bent Nederlands kampioen free runnen of je bent het niet. Zelfs met een zware rugzak op je rug.

Voor de man die het karretje duwde doorhad wat er gebeurde, sprong Max alweer aan de andere kant naar beneden en rende verder.
Nog zes minuten.

Zonder dat Bob het zelf doorhad, versnipperden zijn vingers zijn toespraak, terwijl hij moedeloos naar de grond staarde. Als hij had opgekeken, de gang naast de wachtruimte in, had hij kunnen zien dat daar een groep Japanners stond. Hij had zelfs kunnen zien dat in het midden van de groep een bijzondere jongen stond: een jongen die bijna breder was dan dat hij lang was. Hij was nu zelfs nog breder dan anders, omdat zijn bezorgde moeder, zijn oma's en tantes hem vol bléven hangen met mutsen, petten, sjaals, tassen met snoep en eten en drinken, geluksknuffels, paraplu's, thermosflessen ...
Af en toe zei Makoto: 'Hmmm.' Het zou niet helpen als hij zou zeggen dat ze in het vliegtuig wel te eten zouden krijgen, of dat het in San Francisco op dit moment 27 graden was. En zonnig. Niets zou helpen. Dat wist hij uit ervaring. Hij wachtte gewoon rustig af tot zijn familie naar de *gate* zou gaan waar het vliegtuig zou vertrekken. Op het laatste moment had zijn familie besloten dat hij geen hele week in San Francisco zonder hen kon doorbrengen. Bovendien had hij fans nodig die hem zouden toejuichen en aanmoedigen als hij in de ring stond. Toch?
Hmmm.
Voor Makoto hoefde het niet. Zijn familie woonde al meer dan twintig jaar in Nederland, maar bleef toch in het Japans kwetteren en hem Japanse goede raad geven. Zelf vond hij

dat hij het prima alleen af kon, met zijn lengte van een meter veertig en zijn gewicht van ruim honderd kilo – waarvan het grootste deel zuivere spiermassa. Hij was niet voor niets Nederlands jongste kampioen sumoworstelen ooit.

Nog vijf minuten tot de gate zou sluiten. Max stepte naar de douane, terwijl hij zijn rugzak op zijn buik slingerde om zijn paspoort eruit te pulken.

Nee! Wat een rij!

Dit kon niet, dit mocht niet, dit ... Als hij nou ...

Max slingerde zijn rugzak weer naar achteren, zette af, zakte door zijn knieën en boog zo ver mogelijk voorover. Nu was hij laag. Nu kon hij onder die dranghekken door rijden en dan ...

BENG!

Hij zat klem.

Was zijn rugzak vergeten.

Foutje.

Toen hij zich eindelijk, na vijf kostbare seconden, los geworsteld had, was hij ingesloten door een kudde Italiaanse toeristen.

Max klom op het dranghek en keek gejaagd rond, terwijl hij balancerend zijn evenwicht bewaarde. De toeristen fronsten hun wenkbrauwen en begonnen opgewonden te kwetteren en te gebaren. Ze wilden hem naar beneden trekken, en ...

Dáár was een uitweg: even verderop ging net een nieuw loket open. Van koffer naar hekje springend en van hekje naar koffer, bereikte Max als eerste het nieuwe loket. Achter hem schreeuwden de toeristen.

Nog vier minuten voor de gate zou sluiten.

De deur die de wachtruimte scheidde van de loopslurf naar het vliegtuig, gleed open.
'Houd uw *boarding pass* gereed,' klonk het metalig. 'Het personeel van vlucht 634r van PanAm Airlines naar San Francisco heet u van harte welkom.'
Bob Negelreef zag Makoto de wachtruimte binnen stappen en viel bijna flauw van opluchting. Vervolgens zag hij ineens het lange lijf van Milan opduiken in de hoek.
Bob viel flauw.

'Opzij!' riep Max. En hij bleef roepen: 'Opzij! Opzij!'
Onderwijl bleef hij vaart maken, steppend op zijn skateboard, over de rolbaan door de veel te lange gang naar Gate 34B.
Hij had nog één minuut, schatte hij, en hij zette nog een tandje bij. 30B, 31B, 32B ... Veertig seconden, dertig, twintig ... Daar! Dat was de deur die naar de wachtruimte leidde.
De deur klapte net automatisch dicht. Max dook ...
En knalde ertegenop.

Door de dreun en de opwinding die daarop volgde, ontwaakte begeleider Bob uit zijn flauwte. Hij keek op, slaakte een gilletje toen hij Max aan de andere kant van de deur op de grond zag zitten en klampte een stewardess aan.
'Hij,' stamelde Bob. 'Die jongen ... Hij moet mee ... Hij ...'
'Rustig maar, meneer,' zei de stewardess, terwijl ze haar arm met een ruk losmaakte uit Negelreefs wanhopige greep.
'Natuurlijk mag die jongen mee. We hebben alle tijd ...'
Glazig staarde Negelreef de vrouw aan.
'Heeft u het omroepbericht niet gehoord?' zei ze met een

brede glimlach. ‘Een minuut geleden kwam de mededeling dat we een halfuurtje vertraging hebben.’
Ze wiebelde in alle rust op haar hoge hakken naar de deur. Max kwam net duizelig van de klap overeind en zocht houvast bij de deur. De stewardess opende hem en Max viel met een tweede klap de wachtruimte binnen.
‘Welkom bij vlucht 634r van PanAm Airlines naar San Francisco, jongeman,’ zei de stewardess vriendelijk. ‘Hou je je *boarding pass* gereed?’

2. Noodlanding

Max plofte weer in zijn stoel. Hij was nu veertien keer naar de wc geweest. Of drieëntwintig keer. Zoiets in ieder geval. Hij kon nu eenmaal niet stilzitten. Het was laat in de middag en ze vlogen ergens hoog boven Canada. Hoe spannend zo'n verre reis ook was, Max had het er even helemaal mee gehad.
Stoelleuning naar voren, stoelleuning naar achteren.
Gordijntje open, gordijntje dicht.
Stukje film kijken, oordopjes uit en weer naar de wc.
Oordopjes weer in en even alle radiozenders langs ...
Hij had het vliegtuigtijdschrift doorgebladerd en de nooddeur links van hem bestudeerd – dat laatste zou hem straks heel goed van pas komen, al had hij daar nu nog geen flauw idee van. En natuurlijk had Max geprobeerd een praatje te maken met de jongens naast hem.

'Wat doe jij?' had hij aan de lange gozer rechts van hem gevraagd, die over het scherm van zijn tablet hing.
'Baboon Empire 3.0. Offline-testversie. Bèta. Alleen voor advanced users,' had de jongen gemompeld en hij had zich nog verder naar voren gebogen.
'O,' had Max gezegd. 'Ik ben Max.'
De jongen had geknikt zonder op te kijken, en was verdergegaan met zijn spel.
'En hoe heet jij dan? Wat doe je? Wat voor sport?'
'Milan ... Gamen,' kwam het gemompelde antwoord.
Max grijnsde en knikte. Oké, dat was in ieder geval duidelijk: een totale *game nerd*. Hopeloos. Toen boog hij nog verder

naar voren om de jongen rechts van Milan eens goed te bekijken.

De jongen vulde de stoel op dezelfde manier als een koe een koelbox zou vullen. Dat wil zeggen, hij puilde eruit. Met gesloten ogen en zijn handen ineen gevouwen om zijn buik, zat hij erbij als een gelukzalige boeddha. Hij had niet eens de moeite genomen om zijn jas, mutsen, sjaals en alle andere spullen die aan hem hingen, af te doen en in het bagagevak te stoppen.

'Hé!' zei Max. 'Pst! Ben jij wakker?'

Er kwam geen reactie.

Max leunde voorover en tikte de jongen op zijn knie. 'Hé!

Wat doe jij dan voor sport? Betonvlechten? Spekslurpen?'
Eén oog van de jongen ging een heel klein beetje open.
Max grijnsde naar de jongen. 'Hoi! Ik ben Max!'
Hij kreeg een bijna onzichtbaar glimlachje terug. Het oog van de jongen ging weer dicht.
'Ik ben Max. *Free runner*. En ik skate natuurlijk ook. Wat doe jij dan?'
De enorme, vierkante jongen reageerde niet.
'Sumo,' klonk het vanuit de stoel tussen hen in. 'Hij heet Makoto en is Nederlands kampioen sumoworstelen.'
'Echt?'
'Als je onze lieftallige Nolympische ploeg even had gegoogeld, zou je dat weten.' Milans gordijntje van haren wuifde heen en weer; eronder blikkerde het licht van zijn tablet.
Op Makoto's gezicht verscheen een brede, gelukzalige grijns.

Een schok ging door het vliegtuig, gevolgd door een vreemd gehobbel. Alle passagiers keken geschrokken op. Een stewardess kwam tevoorschijn van achter het gordijntje dat de eerste klas scheidde van de tweede klas.
Nog een schok. Een hele tijd was het alsof ze over een onverharde landweg reden.
'*Please, fasten your seatbelts*,' klonk het door de intercom. 'Veiligheidsgordels vast, alstublieft.' Het rode lampje van de gordels begon te knipperen.
De televisieschermpjes bij de stoelen floepten uit en toen weer aan. Passagiers keken angstig om zich heen en klampten de stewardessen aan die zich op verschillende plekken in de gangpaden opstelden.

Max kreeg een raar gevoel in zijn buik. Hij begreep dat dat betekende dat ze heel snel daalden. Hij sprong op, werd door een nerveuze stewardess teruggeduwd in zijn stoel, en met een klik en een ruk snoerde ze hem zo strak in zijn gordel, dat zijn bovenlijf en onderlijf weinig meer met elkaar te maken hadden.
Op het schermpje voor hem verscheen de landkaart van Noord-Amerika. Een stippellijn gaf hun route aan en een knipperend bolletje liet zien waar ze waren: boven Canada. Heel noordelijk. Zo ver naar het noorden ... Dat kon nooit de bedoeling zijn.
De hoogtemeter rechtsonder in beeld liep snel terug: van ruim **10 kilometer naar 9,7 naar 9,2 naar 8,7 naar ...** De schermpjes floepten uit, maar iedereen voelde dat het dalen aanhield.
'*This is your Captain speaking*,' kraakte de intercom. 'Het gaat er misschien even wat ruw aan toe, maar er is geen enkel gevaar. Deze Boeing 757 is uitgerust met de sterkste motoren en de modernste elektronica. Veiliger bestaat niet. We zijn naar het noorden uitgeweken om een orkaan te omzeilen die aan de oostkust van de Verenigde Staten woedt. Maar tegen alle voorspellingen in, stormt het hier ook. We zoeken een hoogte op waar het rustiger is. Ik verzoek u uw gordel om te houden tot het groene lampje weer gaat branden. Dank u voor uw aandacht.'
Klik.
Het was weer stil. Op het geraas van de motoren na. De passagiers keken elkaar bleekjes en ongerust aan, terwijl het vliegtuig zijn hobbelende weg omlaag vervolgde.
'Ik moet eruit!' Misselijk van het dalen en

schokken – en natuurlijk ook van de angst, (maar dat zou hij nooit toegeven) – duwde Max zijn voorhoofd tegen het raampje van de nooddeur. Hij keek naar buiten.
Vergeleken met wat hij daar zag was de hel een pretpark. Zwarte reuzenwolken kolkten om de Boeing 757 heen als tentakels, voorhamers en drakenklauwen. Snijdende bliksemflitsen schoten van links naar rechts en van boven naar beneden, alsof ze alles aan flarden wilden snijden. Sneeuwvlagen dikker en kleffer dan koude erwtensoep geselden het vliegtuig.
Ineens veranderde het geluid van de vliegtuigmotoren. Het toestel begon over te hellen. Tientallen passagiers gilden, krijsten en wezen: een rookpluim wolkte op uit de rechtermotor.
'We moeten iets doen!' siste Max en hij keek naar Milan, die zijn tablet eindelijk had weggelegd.
Milan haalde zijn schouders op. 'We kunnen niets doen,' zei hij, en hij streek zijn lange haren naar achteren. '*Nada, noppes ... nichts ...*'
'Maar we moeten iets doen!'
Milan gebaarde machteloos dat hij het ook niet wist. Makoto zat nog altijd met zijn ogen gesloten. Er speelde zelfs nog steeds een glimlach rond zijn dikke lippen. Hij leek wel zo'n groot marsepeinen varken dat het helemaal niet erg vindt om door de bakker in stukken gesneden te worden. Max keerde zich weer naar het raampje.
Precies op dat moment doken ze onder de wolkenmassa en Max' hart sloeg een slag over. Het was schemerig en de lucht was donkergrijs, maar hij kon duidelijk zien dat ze laag boven een golvende, grijsgroene zee vlogen. Witte

ijsbergen staken er dreigend als heksenvingers uit omhoog en nevelflarden joegen langs.
'Kijk dan!' Max trok Milan aan zijn arm. 'Mán! Kijk dan! We storten neer!'
Milan trok nog bleker weg dan hij altijd al was. Toen knikte hij. 'Je hebt gelijk. We moeten misschien toch maar wat doen. Anders verdrinken we. Weet je ... op Discovery Channel zag ik dat overlevenden van vliegrampen altijd degenen zijn die iets doen.' Hij begon aan zijn gordel te trekken en knikte naar de nooddeur. 'Weet jij hoe ...'

Max was al los uit zijn gordel. Hij sprong op, rukte uit alle macht een grote rode hendel naar zich toe en begon toen met beide handen aan een wiel te draaien. Een stewardess die aan kwam rennen om hem tegen te houden, struikelde en viel. Tientallen passagiers klommen in paniek op hun stoelen en begonnen hun handbagage uit de vakken te trekken. Anderen stortten zich in het gangpad of bogen juist stilletjes voorover, terwijl ze jammerend hun hoofd beschermden met hun armen.
De nooddeur klapte open. Oorverdovend geraas en een loeiharde, ijskoude stormwind vulden de cabine. Buiten pompte de reddingsglijbaan zichzelf in een paar tellen op. Max kon zich met moeite staande houden. Hij greep achter zich en trok Milan overeind. Makoto zat nog steeds als een van de weinigen rustig in zijn stoel. Wel had hij ook zijn veiligheidsgordel los geklikt. Glimlachend keek hij naar de open deur en goedkeurend snoof hij de koude lucht op die naar binnen wervelde.
'Kom!' schreeuwde Max naar Makoto.

Die schudde kort nee en vouwde zijn handen weer voor zijn buik.
Ze waren nog verder gedaald. De linker vleugeltip scheerde rakelings langs een ijsberg. Angstig bleef Max in de deuropening staan, met Milan vlak achter hem.
'Ga dan!' schreeuwde Milan en hij duwde Max verder naar buiten.
Niet hoger dan tien meter boven de golven vlogen ze nu. De kou benam Max de adem. De ene, overgebleven motor van het vliegtuig raasde en gierde.
'Alleen degenen die iets doen, overleven een vliegramp.' De woorden van Milan dreunden door Max' hoofd. En hij wilde iets doen. Vóór ze zouden crashen. Nu.
Max snoof de vrieswind op, dook naar de glijbaan en klampte zich vast aan een van de touwen aan de zijkant. De glijbaan klapperde als een vlaggetje in de wind. Max voelde hoe het ding over de toppen van de golven schampte.
Milan omklemde de deurpost. Hij bibberde als een kale poedel in een koelbox. Wat een kou! En die wind ... Hier was hij niet voor gemaakt. Hij hoorde in het warme Egypte, tussen de bavianen! Hij moest terug ... naar binnen, naar zijn tablet, naar *Baboon* ... Een bonkige arm sloeg om hem heen en duwde hem naar voren.
De noodglijbaan stuiterde wild over de golven. Milan viel voorover, tegelijk met Makoto, die hem vasthield met één arm, in een betonnen greep.
Met zijn vrije hand trok Makoto aan een rood touw dat omlaag hing waar de glijbaan aan het vliegtuig vastzat. De glijbaan raakte los van het vliegtuig en landde hotsend en botsend op de hoge golven.

De drie jongens keken het vliegtuig na. Verstijfd van schrik en totaal verbijsterd. Zélfs Makoto leek onder de indruk: hij knipperde wel drie keer met zijn ogen.
Het vliegtuig zou in zee storten en zij zouden de enige overlevenden zijn. In een volstrekt vijandige omgeving. De Boeing zou die ijsberg daar raken, een paar honderd meter verderop, en dan ...
Tot hun stomme verbazing hing het vliegtuig ineens niet langer scheef. Het kon niet anders of de rechtermotor was weer aangeslagen. Het vliegtuig raasde, won hoogte, vloog rakelings over de ijsberg in de verte en verdween ronkend boven de Noordelijke IJszee uit het zicht.
Max, Milan en Makoto bleven achter op de rode opblaasglijbaan, gewiegd door metershoge golven.
De luchttemperatuur was -3 graden Celsius en de wind had een kracht van 8 Beaufort: slecht weer voor de tijd van het jaar, maar helemaal niets vergeleken met de ijzige stormen die hier 's winters woedden. Als ze geweten hadden dat ze zich op meer dan 78 kilometer afstand van het dichtstbijzijnde vasteland bevonden (het vrijwel onbewoonde Melville Eiland, in het noorden van Noord-Canada, vlak bij de magnetische noordpool), was hun humeur er vast niet op vooruitgegaan ...

3. Op zee

Alleen Makoto had het niet koud. Het is bijna onmogelijk om het koud te hebben als je twee mutsen en een pet op hebt, drie sjaals om je nek, twee jassen en een vest aan je lijf, en vol hangt met geluksknuffels, thermosflessen, paraplu's en tassen met eten en drinken voor onderweg. Als je bovendien de lichaamsbouw van een walrus hebt, is het helemaal onmogelijk om het koud te krijgen.
Milan hing zeeziek over de rand van hun vlot, of glijbaan of hoe je het rode opblaasding ook moest noemen. Zijn gebruikelijke bleke kleur had plaatsgemaakt voor een vreemd soort grijsgroen en de momenten waarop hij niet kokhalsde, jammerde hij.
'Mijn iPad, ik mis mijn arme iPadje ...' meende Max te verstaan, maar het was moeilijk om ook maar iets goed te horen boven het bulderen van de wind uit. Alle drie vroegen ze zich af hoe het nu met de Nolympische Spelen moest, maar daar zeiden ze maar niets over. Eerst moesten ze zien te overleven.

Het vliegtuig was een kwartier geleden uit het zicht verdwenen. Toen het tot de jongens was doorgedrongen dat ze er alleen voor stonden, hadden ze zichzelf vastgebonden aan het touw dat rondom aan de rand van hun vlot zat.
De eerste minuten waren ze bang geweest dat ze zouden omslaan. In het ijskoude zeewater zou het een kwestie van seconden zijn voor ze hun laatste adem uitbliezen. Maar hoewel de deining enorm was, leek het erop dat hun vlot het zou uithouden. Wel was er natuurlijk kans dat een ijsberg het

vlot zou rammen. Dat was tenslotte honderd jaar geleden ook met de Titanic gebeurd. Maar er was niets wat ze daartegen konden doen.

'Muts?' riep Makoto naar Milan en Max. Hij trok de twee mutsen van zijn hoofd. De pet hield hij zelf op.

Max knikte dankbaar. Milan reageerde niet. Max pakte allebei de mutsen aan, zette er een op en trok de andere over Milans hoofd.

'Sjaal?' Makoto deed een van zijn sjaals af.

Max wees naar Milan. Makoto wikkelde de sjaal om Milans hals. Vervolgens gaf hij ook zijn twee jassen aan Max en Milan. Zijn vest hield hij zelf aan.

Milan keek niet op of om, maar bleef grijsgroen overboord hangen.

'Koffie?'

Milan schudde heftig nee en boog kokhalzend nog verder overboord.

Max keek Makoto ongelovig aan. Die glimlachte slechts zijn bekende glimlach.

Er verscheen een grijns op Max' gezicht. 'Nou ... Heb je misschien ook warme chocolademelk?'

'Met slagroom?'

'Ja, lekker ...'

Makoto grijnsde. 'Pech ... Alleen koffie!' Hij reikte Max een thermosfles aan.

Een paar uur later zaten ze met de ruggen tegen elkaar in het midden van hun reddingsvlot. Het was laat in de avond, maar donker werd het niet. Ze zaten zo noordelijk dat de zon pas aan het einde van de zomer weer onder zou gaan.

Wel nam de storm in kracht af en werd de zee rustiger. Max en Makoto deelden een pak stroopwafels dat Makoto uit een van zijn tassen tevoorschijn toverde. Milan wilde niets.
'Waarom kwam je toch mee?' vroeg Max met volle mond.
Makoto staarde in de verte en at nadenkend zijn mond leeg. Toen schudde hij langzaam zijn hoofd.
'Je wilde toch in het vliegtuig blijven?'
'Moest wel.'
'Hoe bedoel je?'
Het bleef ongeveer twee stroopwafels lang stil.
'Zonder mij redden jullie het niet,' mompelde Makoto uiteindelijk.
Dat was de langste zin die Max en Milan hem tot nu toe hadden horen zeggen. En Max wist zonder om te kijken, dat de blije glimlach weer op Makoto's gezicht was teruggekeerd.
'Hm,' zei Max, een beetje beledigd. 'Het duurt anders vast niet lang voor ze ons komen redden.'
Milan haalde zijn neus op en lachte schamper. 'Hoe dacht je dat ze dat zouden doen?' Hij klonk snipverkouden.
'Gewoon.' Max haalde zijn schouders op. 'Ze weten waar we zijn geland en ze weten hoe de wind staat en zo. Dan kunnen ze toch uitrekenen waar we ongeveer zijn?'
'En dan?'
'Nou, dan sturen ze een helikopter.'
'Er zijn hier geen helikopters. We zitten niet in een game, of zo. Er is hier niks. *Nichts! Niente!* Alleen een paar Eskimo's. In een gebied dat groter is dan heel Europa.'
'Inuit.' Dat was Makoto.
'Hè?'

'Je moet Inuit zeggen. Eskimo is scheldwoord.'
'Oké, oké ... Hoe die arme mensen ook mogen heten ... Waar het om gaat, is dat er in een straal van 1000 kilometer geen steden, geen helikopters en geen vliegvelden zijn. En er is al helemaal geen mobiel internet.'
'Geen arme mensen! Trots volk!'
Milan keerde zich om naar Makoto. 'Zeg, wat heb jij met die Es... Inuit?'
'Zijn mijn familie,' bromde Makoto. 'Mijn familie komt uit Noord-Japan. Is zelfde volk.'

Max rilde van de kou. Ineens voelde hij zich uitgeput. 'Ik weet niet wat jullie allemaal nog te bespreken hebben, maar ik ga slapen. Welterusten.' Hij ging op zijn zij liggen, maakte zichzelf zo klein mogelijk en sloot zijn ogen.
Milan en Makoto volgden zijn voorbeeld. Ze kropen dicht tegen elkaar aan om warm te blijven, en een tijdlang was het stil op het vlot. Niet dat ze nu echt sliepen als roosjes, maar ze waren alle drie doodmoe en vroegen zich af hoe het verder moest. Dat hadden ze zich helemaal niet hoeven af te vragen, want de volgende ochtend bleek vanzelf hoe het verder zou gaan.

Al was het geen moment echt donker geweest, toen Max klappertandend van de kou wakker werd, wees zijn horloge aan dat er een nacht voorbij was gegaan. Het was zeven uur in de ochtend. Dat betekende dat ze al meer dan dertien uur ronddreven. Het waaide nu minder hard en de zon piepte door een dun wolkendek.
Max ging rechtop zitten en knipperde met zijn ogen.

Vervolgens stootte hij Milan en Makoto aan. 'Land!' riep hij. 'Land in zicht!'
Milan veerde op en keek hoopvol in de richting waarin Max wees. De grijsgroene kleur in zijn gezicht had plaatsgemaakt voor een ongezond blauw. Zijn neus was vuurrood en er hing een druppel aan. Makoto draaide zich om, gromde en wilde verder slapen, maar Max porde hem nog een keer in zijn zij. 'Kijk dan!'
Op maar een paar honderd meter afstand rezen bergen op. Met sneeuw en ijs bedekte bergen, en bij de vlakke kustlijn was het onmiskenbaar groen.
'YeSSS!' zei Milan hoopvol.
Makoto zat nu ook rechtop. 'Hmmm,' bromde hij en hij keek onderzoekend omhoog, naar de wolken.
Nu drong het ook tot Max en Milan door: de wind stond verkeerd. Ze werden lángs het land geblazen en zouden zo meteen weer afdrijven naar open zee.
'We moeten iets doen!' riep Max en hij begon met zijn hand te peddelen. Binnen een paar tellen trok hij zijn hand terug uit het ijskoude water. De wind was te sterk, het water te koud. Het was onmogelijk om zo naar de kust te peddelen.
Machteloos staarden ze naar het land in de verte. Zo dichtbij was het, en tegelijk onbereikbaar veraf.
Tot Milan weer vooruit keek, in de richting waarin de wind hen voortdreef. 'Hé, jongens,' mompelde hij, en de anderen keken ook.
Ze dreven recht op een heel laag eilandje af. Niet meer dan een flinke zandbank.

Even later schuurde de bodem van hun vlot over het zand. Makoto, die zware laarzen droeg, sprong eruit en trok het vlot verder de zandplaat op, zodat Max en Milan met droge voeten aan wal konden gaan.
'O, man!' riep Max. 'Goed om weer grond onder mijn voeten te voelen.' Hij rekte zich uit en rende uitgelaten verder het strand op. Daarna draafde hij weer terug naar de anderen, die bedrukt bij het vlot waren blijven staan. 'Hé!' riep hij. 'Wat is er nou? Zijn jullie niet blij?'
Makoto zei maar één woord: 'Vloed.'
En dat was precies genoeg om het kleine feestje van Max te beëindigen. Over een tijdje zou het hoog water worden en de zandplaat waar ze nu op stonden, zou overstromen. Max, Milan en Makoto zouden het vlot weer op moeten, en zich verder moeten laten drijven. Tenzij ...
'We moeten iets doen!' riep Max. 'We moeten hout zoeken om mee te roeien. Planken!' En hij rende alweer weg.
Milan en Makoto keken hem hoofdschuddend na. De dichtstbijzijnde boom stond waarschijnlijk zo'n drieduizend kilometer zuidelijker, en schepen kwamen hier in het poolgebied vast ook niet vaak. De kans op aangespoeld drijfhout was ongeveer even groot als de kans dat ze hier een levende smurf zouden aantreffen.
'Laat hem maar,' zei Milan.
Makoto knikte. De twee ploften neer op het zand en staarden naar de groene kustlijn aan de overkant van de smalle zeestraat.
'Waren we maar nooit uit dat vliegtuig gesprongen, dan zaten we nu lekker warm en droog bij de Nolympische

Spelen,' verzuchtte Milan. Hij haalde zijn neus op en rilde.
'Hmm,' zei Makoto en hij kneep zijn toch al smalle ogen tot nog smallere spleetjes. Toen wees hij.
Milan keek in de aangewezen richting en zijn mond viel open. Op de grens van de groene kustvlakte en de besneeuwde bergen stond iets. Rechthoekige dingen. Containers. Gebouwtjes. En er leek een kleine aanlegsteiger te zijn. '**Mensen!**' schreeuwde Milan en hij begon te springen en te zwaaien. 'Daar zijn **Mensen!** We zijn gered!'
Hij rende op zijn natte, rode gympen, maat 46, in de richting van de gebouwtjes.
Max, die verbaasd door alle opwinding terug kwam rennen, zag het nu ook en begon ook te zwaaien en te roepen. Makoto was als enige zo slim om bij het vlot te blijven en het verder op het droge te trekken, want het leek erop dat de vloed al kwam opzetten.

'Kom,' zei Max, toen er na een hele poos nog geen reactie op hun roepen en zwaaien was gekomen. 'We moeten toch zelf oversteken, want ze horen ons niet. Verderop zag ik iets uit het zand steken. Misschien ligt daar iets om mee te roeien.'
Milan volgde hem en zag al snel wat Max bedoelde: verderop staken witte paaltjes omhoog uit het zand, alsof daar ooit een aanlegsteiger was geweest.
'Wauwww!' verzuchtte Milan, toen ze er vlakbij waren.
'Wat is er nou zo bijzonder aan een paar paaltjes?'
Milan grijnsde. 'Zie je dat dan niet?'
'Wat?'
'Een walvis ... Het is het geraamte van een walvis, half weggezakt in het zand!'

Hijgend hielden ze stil bij het karkas.
Max zag het nu ook. 'Gaaf!'
Ze keken om en wenkten Makoto dat hij ook moest komen.
Maar die gebaarde dat zij juist naar hem moesten komen. Hij wees naar het opkomende water.
Max trapte met al zijn kracht tegen een van de omhoog stekende walvisribben.
'Wat doe je nou, man? Je gaat zoiets geweldigs toch niet slopen?'
'Roeispanen!' hijgde Max en na een volgende trap brak het platte uiteinde van een van de ribben af.
Milan raapte het stuk bot op en knikte. Het was jammer van het skelet, maar Max had gelijk.
Na nog een paar trappen hadden ze drie mooie stukken bot. Licht gekromd, mooi plat. Perfecte peddels. De zee kwam nu echt opzetten. Met hun roeispanen liepen ze terug naar Makoto, die nog steeds trouw het vlot bewaakte. Ze klommen alle drie aan boord en toen de stroom hen weer meenam, begonnen ze als razenden te roeien.

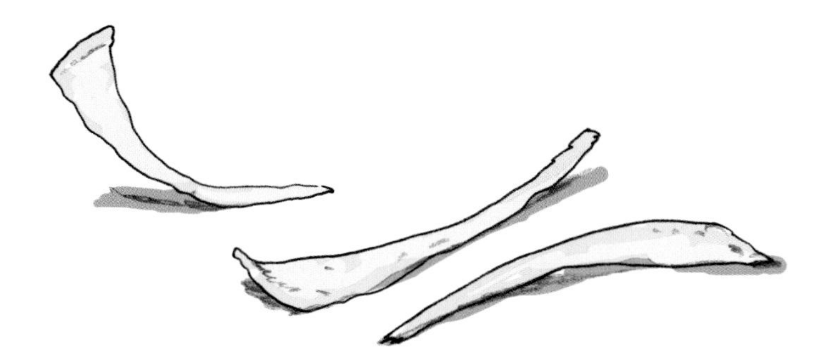

4. De poolbasis

De vloedstroom en de wind waren sterk. Voor iedere meter die ze vorderden op weg naar het vasteland, dreven ze vijf meter af langs de kust. Maar het belangrijkste was dát ze dichter bij het land kwamen. Ze kregen het zelfs wat warmer van het roeien, en na een minuut of twintig peddelen waren ze er bijna.
'Wacht!' riep Milan en hij wees naar de plek waar ze het land zouden bereiken als ze zo doorgingen: een inham waar grote, vlakke rotsplaten de zee instaken.
'Wat zijn dat?' Max fronste. 'Zeehonden?'
Makoto schudde nee.
'Wat dan?'
'Walrussen.'
'Nou en?'
'Daar kunnen we beter niet tussen terechtkomen. Kijk dan.'
Het waren er duizenden. De enorme dieren lagen log te zonnebaden. Lange slagtanden blikkerden in het licht. De walrussen lagen dicht tegen elkaar aan. Erboven cirkelden meeuwen krijsend rond. Als ze in die kudde terecht zouden komen, zouden ze over de dieren heen moeten klimmen om verder aan land te komen.
Ze hielden hun peddels stil en wachtten af, terwijl ze op nog geen tien meter van de kust de walrussen tegemoet dreven. De dieren loeiden, maar dat was nog het minst erge. Milan, die net weer wat kleur op zijn wangen had gekregen door het roeien, werd geel en daarna groen. Ook Max verschoot van kleur. Zelfs Makoto's glimlach verdween.
De geur die opsteeg van de kudde was benam hen de adem:

er lagen daar meer dan duizend vette walrussen hun eten te verteren. Dat leverde uit al die bekken, kelen en magen, en kilometers aan blubberige darmen, meer stinkende gassen op dan het volledige rioolstelsel van een wereldstad waar veel knoflook en kool gegeten wordt. Zoals bijvoorbeeld Moskou, Rio de Janeiro of Shanghai. En zelfs al bereikte maar een heel klein vleugje van die gassen het vlot, toch was het alsof de jongens ondergedompeld werden in een plakkerig mengsel van rotte mosselen, borrelend maagzuur en oude zweetsokken.

'Mama ...' kreunde Milan en hij ging weer overboord hangen, net als toen hij zeeziek was. Hij hing met zijn neus dicht bij het koude water en hij braakte de allerlaatste restjes van zijn vliegtuigmaaltijd uit boven de golven.

Ook Max wist niet waar hij het zoeken moest. Hij rolde jammerend rond en duwde zijn neus diep in het rubber van het vlot. Alleen Makoto bleef, zoals altijd, rustig. Het enige wat je aan hem zag, was dat hij langzaam paars aanliep: Makoto zag de stank als een goede gelegenheid om weer eens te oefenen met zo lang mogelijk zijn adem inhouden. Toen hij na bijna twee minuten met een zucht uitademde, waren ze bijna uit de stankwolk. Toen hij weer inademde, waren ze uit de wolk.

'Wow...' mompelde Milan bleekjes, en hij rolde met zijn ogen. 'Dat zou cool zijn: een game met geuren! En dan komt deze vette megastank uit je computer als je verliest ...'

Maar ze waren nog niet van de walrussen af. Opgeschrikt door het rode vlot gleden er een stuk of tien het water in, soepel en snel. Een paar tellen later doken ze op rondom het reddingsvlot. De dieren zwommen met hen mee, op maar

een paar meter bij hen vandaan.
Angstig keken Max en Milan naar de enorme beesten. Ze gromden en wierpen golven op die bijna over de rand van het vlot spoelden. Het leek erop dat ze gingen aanvallen. Log als walvissen, maar tegelijk snel en lenig, kwamen ze dreigend naderbij. Max en Milan kropen angstig naar het midden van het vlot. Maar Makoto kroop voorzichtig naar de rand en leunde eroverheen.
'Wat doe je nou, man?' fluisterde Max. **'Ben je gek geworden?'**
'Hmmm.' Makoto strekte zijn hand naar de grootste van de walrussen uit. Het dier brieste en opende zijn bek wijd, zodat de slagtanden angstaanjagend op het dunne rubber van het vlot gericht waren. De walrus zwom tot vlak bij Makoto's hand, maar boog toen ineens zijn kop en liet zich door Makoto aaien alsof hij een lammetje was. De walrus proestte luidruchtig, alsof hij het aaien lekker vond, en een wolk van snot, speeksel en stinkende adem walmde over het vlot. Makoto proestte tevreden terug en de walrus verdween onder water. Als op een teken verdwenen alle walrussen in de diepte.
'Ze gaan ons rammen!' krijste Milan.
'Ze prikken ons lek!' piepte Max. 'We moeten iets doen!'
Makoto wees alleen maar: bij de oever kwamen de dieren weer boven water en ze kropen terug aan land.
'Hoe kan dat nou?' Max keek naar Makoto alsof hij magische krachten had.
Makoto haalde zijn schouders op. 'Ze houden ervan als je ze aait ... Wist ik gewoon ineens.'
Milan lachte opgelucht. 'Geweldig, man! We mogen

door naar het volgende *level*!'

Een flink eind voorbij de walrussen trokken ze hun vlot het kiezelstrandje op.
'We moeten het goed ver bij het water vandaan leggen,' zei Milan. 'Je weet nooit of we het nog nodig hebben.'
Max keek hem aan alsof hij gek was.
'Nou ja, ik bedoel, misschien is er wel niemand in die gebouwen, en ...'
'Ik ga nooit van mijn leven meer op dat ellendige ding zitten,' zei Max. Toch hielp hij mee om het vlot een eind het strand op te trekken en te verzwaren met stenen, zodat het niet weg kon waaien.
Vervolgens liepen ze terug in de richting waar ze de gebouwen hadden gezien. Met een flinke boog trokken ze om de walrussen heen.
'Bijzondere beesten,' concludeerde Milan. 'Maar ik zie ze, geloof ik, toch liever gewoon op tv.'

Ze waren verder afgedreven dan ze gedacht hadden. Ook al was het terrein goed begaanbaar, het duurde zeker een uur voor ze weer in de buurt van het groepje gebouwen waren. Veel stelde het niet voor: drie grote containers met raampjes erin, die vlak bij elkaar stonden en met elkaar verbonden waren. En twee kleinere bijgebouwtjes een klein stukje bij de andere vandaan. Nog steeds was er geen mens te zien.
'Wat het ook is,' zei Max, 'in ieder geval kunnen we daar opdrogen en warm worden ...'
'... zelfs als de boel verlaten is,' vulde Milan hem aan, want daar leek het wel op.

Ze haastten zich de laatste paar honderd meter de vlakte over. Max kwam als eerste aan. Hij rende naar de deur van het hoofdgebouw, klopte erop en probeerde toen de klink. De deur was niet op slot. Hij zwaaide open.
'Hallo!' riep Max. 'Is daar iemand?'
Er kwam geen antwoord.
'Hallo?'
Het bleef stil.
'Hé, Max!' klonk het achter hem.
Milan stond naast de container en keek naar iets wat net om het hoekje lag. Vervolgens knielde hij erbij neer. Max liep ernaartoe en deinsde geschrokken terug.
Milan zat geknield bij een dode ijsbeer. Het enorme dier was vuil van modder en ... bloed. Een dik, donkerrood spoor liep vanaf de kop, over de hals en borst van het dier tot op de grond. Daar lag een grote plas stijf bevroren ijsberenbloed.
'Door zijn kop geschoten ...' mompelde Milan.
Max balde zijn handen tot vuisten. Wat verschrikkelijk ... Zo'n prachtig beest. Al was hij tegelijkertijd blij dat ze hem hier niet levend tegenkwamen. Hij keek om naar Makoto, die vanaf een paar meter afstand toekeek, uiterlijk onbewogen. Maar Max kon aan hem zien dat ook hij geschrokken was.
'Kom,' zei Max. 'We kunnen niets meer voor hem doen.'
'Wacht,' zei Milan. 'Wat zijn dat voor lui hier, dat ze ijsberen afknallen?'
'Misschien moesten ze wel ... werden ze aangevallen.'
Milan zuchtte. 'Hm... Waarschijnlijk heb je gelijk ... Het is makkelijk om van de dierenbescherming te zijn als je veilig in de stad woont. Hier is het natuurlijk anders.'
Samen liepen ze terug naar de deur en gingen naar binnen.

Ze kwamen in een smal gangetje waar drie deuren op uitkwamen.
'Hallo?' riepen ze. 'Is daar iemand?'
Geen antwoord.
Max opende de eerste deur. Erachter was een klein, rommelig kantoortje. Hij liep naar binnen. Een tafel met een laptop erop die met een paar andere apparaten verbonden was, een paar klapstoelen, een waterkoker met vier mokken ernaast, en wat papieren. Milan, die in de deuropening was blijven staan, probeerde het lichtknopje. Er gebeurde niets.
'Geen stroom.'
'Laten we verder kijken.'
Wat ze zagen toen ze de tweede deur openden, was heel wat spectaculairder. Op een tafel stonden een microscoop, glazen potten en vreemde flesjes. Er lag een hele verzameling operatiemessen, pincetten en ander gereedschap en er lag een stapeltje foto's. Er stond een boekenkast waarin dozen stonden en allerlei potten met opgezette dieren. Maar er klopte iets niet.
Er klopte iets helemaal niet.
De jongens stapten naar binnen en hun adem stokte hen in de keel.
Uit een glazen pot op tafel, gevuld met vloeistof, staarde een heel vreemd beestje hen aan. Een soort lichtblauwe rat, maar dan met zes poten en een gevorkte staart. Hij was dood.
Ernaast stond een klein aquarium waarin een gifgroene slang dobberde. Ook dood. Het dier had een lange, spitse zaagbek.
Ernaast lag een stapeltje foto's. Op de bovenste foto stond een oranje vogel, met gespreide vleugels. Vier vleugels om precies te zijn.

'K-k-kijk hier dan ...' Milan stond voor de kast en keek naar een glazen pot waarin het lichaam van een geel diertje zo groot als een cavia dreef. Het diertje was onmiskenbaar een soort dinosaurus: een rechtop lopend reptiel, met gekleurde schubben en een vogelbek.
'En ... Dat!' Verbijsterd en walgend knikte Max naar een afgesloten pot op de onderste plank, met een soort slakken erin. De slakken leefden! Ze kropen rond over de wanden en bodem van de pot. Met dunne, beweeglijke tentakels voelden ze om zich heen.
Makoto hurkte voor de pot en bracht zijn neus naar het glas. Een frons op zijn voorhoofd en wat gehum gaven aan dat ook hij er niets van begreep. Terwijl Makoto voor de kast bleef zitten, verkenden Milan en Max de rest van de kamer. Ze bekeken de foto's, waarop nog veel meer onbekende dieren stonden, en ook planten die ze nooit eerder gezien hadden: bomen die eruitzagen als rode varens en planten met stelen als kurkentrekkers.
Op een van de foto's stond een vrouw. Een magere, heel chic geklede vrouw met lang, steil haar en een kille, hebberige blik in de ogen. Ze poseerde naast een donkerblauwe, tulpachtige bloem die een stuk groter was dan zijzelf.

'We moeten ook de rest bekijken,' doorbrak Max de stilte. Verbijsterd over wat ze aangetroffen hadden, waren ze een hele tijd in het laboratorium naar de dieren in de potten blijven kijken, en naar de foto's en de griezelige slakken met hun tentakels. Na hun uitputtende tocht over zee, het roeien en de wandeling over de kustvlakte, was dit wel het allerlaatste wat ze verwacht hadden.

Milan knikte. 'Eindelijk begint de echte wereld een beetje op een game te lijken ...'

Makoto keek hem vernietigend aan.

Milan grijnsde. 'Nu alleen nog uitvinden hoe je extra levens verdient.'

Makoto zuchtte diep en liep het laboratorium uit. Max en Milan gingen achter hem aan.

5. Tetikolepnoktpluk-pluktiitatami

In de andere containers was het een stuk huiselijker, al was het overal even koud. De ene container bevatte drie slaapkamertjes, met elk twee bedden erin. En in de andere container stond een bankstel en was een keuken met een goed gevulde voorraadkast. Veel dingen in potten en in blik. De appels die er lagen, waren nog vers.
'Dus het is niet lang geleden dat hier mensen waren,' concludeerde Max.
'Stroom,' zei Milan. 'We moeten stroom hebben. Die laptop in dat kantoortje was met een soort modem verbonden, en er staat een grote antenne op het dak. Het is een satellietmodem, denk ik. Als we stroom hebben, kunnen we de boel aan de praat krijgen. Verwarming aan. Opbellen dat we hier zitten. Mailen, skypen, Hyven, Facebooken, ...'
'Hoe komen ze hier dan aan stroom?' Max keek Milan vragend aan. 'Zitten er zonnepanelen op het dak, of zo?'
Milan begon te lachen.
'Wat is er nou, man?' vroeg Max chagrijnig.
'Zonnepanelen vlak bij de Noordpool?'
Milan bleef hinnikend lachen.
'Generator,' bromde Makoto, en hij wees naar buiten, naar een van de bijgebouwtjes.
'Hoe kan ik dat weten?' zei Max en hij beende kwaad weg. Hij zou die stroom weleens even opstarten. Dan zouden ze hem tenminste niet meer uitlachen. Er schoot iets wits weg, vlak voor Max' voeten, toen hij naar buiten stapte.

Zigzaggend en met grote sprongen rende een wit dier met hoge snelheid in de richting van de zee. Bewonderend keek Max het na: wat een snelheid en wat een sprongen! Toen het dier op veilige afstand was, bleef het plotseling stilstaan en keek om. Het moest een poolvos zijn, dacht Max. Wat een geweldig beest!
Hij liep naar het dichtstbijzijnde bijgebouwtje. De vos volgde hem op een afstandje.
De deur zat op slot. Aan de zijkant was één klein raampje, vlak onder het dak. Onder het raampje sprong Max omhoog naar de dakrand en bleef eraan hangen. Nu kon hij naar binnen kijken. Het gebouwtje leek leeg. Alleen in een hoek lag iets, een hoopje oude kleren of zo, of ...
Geschrokken liet Max zich op de grond vallen. Hij veerde door zijn knieën en vlak achter hem schoot de poolvos weer weg.
'Ha, vriend!' riep Max naar het dier en hij rende terug naar de ingang van het hoofdgebouw.
Milan stond in de deuropening, Makoto achter hem in de gang. 'Sorry, dat ik net zo moest lachen,' begon hij met een scheve grijns, 'maar sorry hoor, zonnepanelen ...'
'Er is daar iemand!' Max wees naar het gebouwtje. 'De deur zit op slot. Er ligt daar iemand op de vloer.'
Milan keek hem geschrokken aan. 'Leeft hij nog?'
'Ik ... ik geloof dat hij even bewoog. We moeten de deur openbreken. Er ligt vast wel ergens gereedschap.'
Ze liepen naar binnen en gingen op zoek naar iets waarmee ze de deur konden openbreken.
Milan kwam al snel terug met het spit uit de oven. Max had in een van de slaapkamers een skistok gevonden. Makoto

was al buiten en liep naar het gebouwtje. Hij leek niets bij zich te hebben.
Milan en Max renden met hun gereedschap achter hem aan.
'Hier moet het wel mee lukken,' riep Milan en hij zwaaide met zijn spit.
'Er zit een zwaar slot op, maar als we dit ertussen krijgen ...'
Max prikte wild met zijn skistok in de lucht. Het poolvosje, dat kwispelend achter hem aan bleef lopen alsof Max al jaren zijn baasje was, schrok ervan.
Makoto haalde een sleutelbos uit zijn zak en las op zijn dooie gemakje de labeltjes aan de verschillende sleutels. Hij nam die waar *voorraadhok* op stond, stak de sleutel in het slot en draaide hem om. 'Lag op tafel,' mompelde hij.
De deur zwaaide open.

In een hoek zat een man in kleermakerszit. Een kleine man met een rond, rimpelig gezicht. Hij keek hoopvol op, maar toen hij de jongens zag, betrok zijn gezicht en hij kraste met schorre stem iets in een vreemde taal. Het klonk een beetje als 'Wat heb ik nou aan mijn fiets hangen?' Maar dat kon het natuurlijk niet zijn.
'Hij leeft!' Milan knikte naar de man en stak zijn hand op.
De oude man reageerde niet, maar bleef hen chagrijnig aanstaren.
'Net lag hij nog plat in een hoekje.'
'Het is een echte Eskimo!'
'Inuit!'
'Oké, oké, Makoto. Het zal hém niks uitmaken.
Hij verstaat ons toch niet.' Milan keek de man onderzoekend aan.

'Maar wat doet hij hier? Wie heeft hem opgesloten?' Max stuiterde van opwinding haast door de kleine ruimte.
'Tja, dat wordt lastig ... Spreek jij Inu... iets? Of zoiets?'
De oude man kwam moeizaam overeind. Opnieuw zei hij iets in die vreemde taal. Het klonk als: 'Wat een ellende! Pfah! Wat een mislukking!' Maar dat kon het natuurlijk niet zijn. En hij ging verder met iets dat klonk als: 'Volstrekt hopeloos ... Maar ik zal het met ze moeten doen.' En hij haalde zijn schouders op.
'Hij stinkt wel,' zei Milan.
'Tja,' zei Max. 'Wie weet hoelang hij hier al opgesloten zit.'
De oude man stapte naar voren. Hij droeg een dikke bontjas, met het gladde leer aan de buitenkant. Op de jas waren met gekleurd garen allerlei dieren geborduurd – elanden, vissen, ijsberen en walvissen. Zijn broek was ook van dierenhuiden gemaakt en sloot aan op dikke laarzen van hetzelfde materiaal. Door zijn dikke kleren leek hij nog ronder dan hij al was.
'Hij lijkt wel familie van je,' zei Max met een grijns naar Makoto.
De man haalde zijn neus op en spoog op de vloer. 'Gaan jullie me nog wat te eten aanbieden, of hoe zit dat?' kraste hij toen in goed verstaanbaar Nederlands, met een vreemd, zangerig accent.
'Hij ... hij spreekt Nederlands!' Max keek de man stomverbaasd aan.
Milan keek al even verbijsterd en was met stomheid geslagen.
Makoto boog naar de oude man. 'Ook drinken?' vroeg hij met een glimlach.

De oude man glunderde. 'Tomatensap!' kraste hij hees. Pfah! Jullie sukkels hebben toch wel tomatensap meegenomen? Dan zouden jullie tenminste nog érgens goed voor zijn.' Hij wankelde naar buiten.

Op weg naar het hoofdgebouw, knikte de man lachend naar het poolvosje en keek toen naar Max. 'Zo, dus jij hebt je totemdier al gevonden. Of, ik kan misschien beter zeggen dat hij jou gevonden heeft?'
Max keek hem niet-begrijpend aan.
'Je totemdier,' begon de oude Inuit uit te leggen, 'dat is het dier waar jouw ziel het meest op lijkt, een soort familie van je, en ...' Hij zweeg toen hij de dode ijsbeer zag. Zijn gezicht betrok en hij liep ernaartoe, zijn hoofd gebogen. Hij knielde neer en boog voorover tot zijn voorhoofd de kop van de beer raakte en hij sloot zijn ogen. De jongens keken stil toe.
De Inuit begon te neuriën en zachtjes heen en weer te wiegen op de maat van zijn lied. Het neuriën ging over in droevig gezang. Huilende uithalen met vreemde klanken erin. Het duurde een paar minuten, en ineens was het afgelopen. De man kwam overeind en wendde zich van de ijsbeer af.
'Kom,' zei hij. 'Dan gaan we nu kijken of er nog iets te verhapstukken valt.'
'Verhapstukken ...' stamelde Milan, terwijl hij zich afvroeg of hij ooit eerder zo'n vreemde figuur had ontmoet.
'Ja ... Lekker bikken!' grijnsde de man. 'Schransen, bunkeren ... Eten!'
Max en Milan keken elkaar ongelovig aan. Makoto knikte begrijpend. Ze liepen achter de oude man aan naar binnen. De poolvos bleef zachtjes jankend buiten voor de deur zitten.

Helemaal achter in de voorraadkast vonden ze zowaar een pak tomatensap. Makoto schonk een glas voor de man in en plofte tegenover hem neer, terwijl Max en Milan voor henzelf frisdrank uit de kast pakten en crackers, koekjes, pinda's, chips en chocola.
De oude man dronk het glas gulzig leeg. Hij schonk zichzelf een tweede glas in en dronk ook dat leeg. Vervolgens klonk er een galmende tomatensapboer door het keukentje, die de wanden deed trillen. De oude man glimlachte gelukzalig.
'Dat doen ze als ze het lekker vinden!' zei Max opgewonden. 'Dat heb ik weleens gehoord, dat Eskimo's boeren als ze het lekker vinden.'
'Inuit,' bromde Makoto chagrijnig.
Max knikte enthousiast. 'Ja, ja, Inuit.' Hij nam een grote slok van zijn cola en boerde ook, zo hard als hij kon.

De oude Inuitman trok een zak pinda's naar zich toe en begon te eten. 'Ik ben Tetikolepnoktplukpluktiitatami,' zei hij, tussen twee happen door.
Max, Milan en Makoto vroegen hem vier keer om zijn naam te herhalen.
Uiteindelijk haalde hij zijn schouders op en zei: 'Tetikolepnoktplukpluktiitatami betekent in mijn taal "Hij die de Bron bewaakt en van gebakken lever met uien houdt". Zo'n naam is fijn als je bij vreemden op bezoek komt ... Weten ze meteen wat je wilt eten.' Hij grijnsde. 'Noemen jullie me maar Teti.'
De jongens stelden zich ook voor, maar toen betrok Teti's gezicht weer. 'Te jong,' mompelde hij. 'Jullie zijn veel te jong. Pfah!... Wat een ellende!'

'Hoe kan het dat u Nederlands spreekt?'
'Ach,' zei de man. 'Als je veertien jaar in Scheveningen woont, leer je dat wel.' Hij leunde achterover in zijn stoel. 'Jarenlang werkte ik bij het Internationaal Hooggerechtshof in Den Haag. Eindeloze rechtszaak van mijn volk tegen Canada. We wilden ons land terug.' Weer klonk er een flinke tomatenboer. 'We verloren niet, maar we wonnen ook niet. We hebben nu onze eigen gebieden, maar zijn nog steeds officieel Canadezen. Uiteindelijk ben ik teruggekeerd naar hier. Ons dorp staat verderop aan de kust. Dit eiland is de beste plek ter wereld ... Nou ja, dat was het. Tot die idioten kwamen.' Op Teti's bovenlip stond een dikke tomatensapsnor.
De jongens keken hem nieuwsgierig aan. Teti wist vast meer over de vreemde dieren in het laboratorium. En hij wist vast ook hoe ze hier weg konden komen ... en dan snel door naar de Nolympics!
Teti gromde. 'Ik heb het koud.' Hij stond op. 'Dat jullie niet eens de kachel aan hebben gedaan voor een oude man ...' Hoofdschuddend hield hij zijn hand op bij Makoto. 'Sleutels?'
Makoto gaf Teti de sleutels en liep met hem mee, naar het andere bijgebouw. Daar stond de generator, en Teti schakelde hem aan. Het ding begon te ronken. De lichten floepten aan en al snel begonnen ook de radiatoren warm te worden.
'Nu moet ik slapen,' zei Teti, toen hij weer binnen was. 'Jullie moeten ook slapen, want we hebben morgen veel te doen. We moeten spullen inpakken en dan vertrekken naar de grotten.' Hij stommelde de dichtstbijzijnde slaapkamer in, plofte op een bed neer en begon direct grommend te snurken.

'Snappen jullie er wat van?' vroeg Milan aan de anderen.
Max rolde met zijn ogen. 'Grotten? Als je het mij vraagt, is hij zo gek als een deur ... al bedoelt hij het volgens mij niet slecht.'
'Ja, te vertrouwen is hij wel. Dat voel je gewoon. Maar waar komen die dieren in die potten dan vandaan? En die slakken? Misschien wel uit die ... grotten waar hij het over had.'
Max haalde zijn schouders op. 'Laten we eerst maar weer eens wat doen: kijken of we die telefoon aan de praat kunnen krijgen.'
Milan knikte. 'Zelfs als we hebben doorgegeven waar we zitten, duurt het nog dagen voor ze hier zijn om ons te redden. Tijd genoeg om de boel uit te zoeken.'
Makoto geeuwde. 'Goed als ik ga slapen? Toch geen verstand van elektronica.'
'Is goed.'
'O, en vergeet niet je vos wat te eten te geven.'
'Mijn vos?' Max keek Makoto verbaasd aan.
'Ja, is jouw vos. Natuurlijk.'
Terwijl Makoto de tweede slaapkamer binnenging, liep Max naar de voordeur en trok hem open. Het poolvosje zat daar inderdaad nog steeds en keek hem verwachtingsvol aan.
'Oké, jongen,' mompelde Max, 'ik zal eens kijken of ik iets voor je kan vinden.'
Hij liep naar de keuken, pakte een blik ham van een hoge stapel, opende het en liep ermee naar de poolvos. Het dier piepte iets, sprong tegen Max op, likte hem in zijn gezicht en griste de ham uit zijn vingers. Vervolgens verdween het dier zigzaggend over de vlakte. Max bleef verbijsterd achter –

want hij wist op de een of andere manier zeker dat hij het gepiep van de vos verstaan had. 'Bedankt, makker,' had hij gepiept. 'Ik zie je morgen!'

In gedachten verzonken liep Max naar het kantoortje, waar Milan al aan de apparaten aan het prutsen was.
De eerste tegenslag was dat ze het wachtwoord van de laptop niet kenden.
'Had ik nou mijn tablet maar,' mompelde Milan. 'Dan had ik dat ding daaraan gehangen.'
'Kun je hier iets mee?' Max haalde zijn smartphone uit zijn broekzak en zette hem aan.
'Yess!' zei Milan gretig. 'Geef maar hier,' en hij bevestigde het stekkertje van het modem aan Max' telefoon.
Na een paar seconden maakten de apparaatjes verbinding.
Maar het enige resultaat was dat het modem op het schermpje van Max' telefoon ook weer om een wachtwoord vroeg.

Ze rommelden in laden, op zoek naar een lijst wachtwoorden, of andere apparaten om het mee te proberen, maar ze vonden niets.
'Zomaar wat wachtwoorden proberen?' stelde Max voor.
Milan schudde zijn hoofd. 'Na een paar foute wachtwoorden, blokkeert de hele boel voorgoed.' Hij zei een tijd niets, terwijl hij naar de laptop, Max' telefoon en het modem staarde.
'Op mijn tablet had ik een prachtig mooi programmaatje om wachtwoorden mee te kraken ... hartstikke verboden, maar heel erg handig.' Hij balde zijn vuisten en schudde zijn hoofd. 'Mijn arme, arme iPadje ...'
Max geeuwde en keek op zijn horloge. Twaalf uur 's nachts gaf het ding aan, ook al was het buiten nog gewoon licht.
'Morgen verder?'
'Oké ...' mompelde Milan bedrukt.
Ze liepen naar de derde slaapkamer en ploften ieder neer op een bed. Hun kleren hielden ze aan, want je wist maar nooit ...

6. Het verhaal van de Bron

De volgende ochtend vonden Max en Milan Makoto in de keuken terug. Hij wees naar een stapel pannenkoeken op een schaal naast het fornuis. In de pannen lagen er nog meer te spetteren. Makoto's grijns was vetter dan ooit.
Op het aanrecht zat Teti in kleermakerszit. Op zijn schoot een mengkom vol met ei. Hij zong een lied en sloeg de maat met de vork waarmee hij de eieren klutste. Het klonk vals en heel verdrietig.
'Ruikt goed,' zei Milan en hij wreef in zijn handen.

Even later deden de jongens zich tegoed aan pannenkoeken met stroop, terwijl Teti zingend zijn reuzenroerei bereidde. Ze aten alsof ze een week niet gegeten hadden, en toen Teti de pan vol met roerei op tafel zette, vielen ze ook daar op aan.
Na de eerste hap duwde Max zijn bord walgend weg.
'Yeggg!!'
'Meeuweneieren!' zei Teti blij.
'Meeuw?' zei Milan. Hij snoof aan het ei en probeerde een hapje. 'Hmmm? ... Hmmm! Heeft iets van makreel ... met knoflook!' Hij begon gretig te eten. 'Maar ... eh... meneer Teti,' zei hij vervolgens met volle mond.
'U weet zeker ook niet hoe we verbinding kunnen maken met internet? ... Of is er een andere manier om hier weg te komen?'
Teti keek hem wrevelig aan. 'Pfah! Weggaan kan altijd.

Maar ik wil dat jullie eerst naar mij luisteren. Ernstige situatie ... Ik heb jullie naar hier geroepen om mij te helpen!'
Max en Milan zetten grote ogen op. 'Geroepen?!' riepen ze vervolgens in koor.
'Hmmm,' bromde Makoto begrijpend.
'Tja,' zei Teti. 'Jullie snappen er natuurlijk niets van ... Het is ook een vergissing dat jullie hier zijn ... Ik had strijders opgeroepen. Vechters!' Hij giechelde. 'Geen slappe, jonge jongens ...' Hij keek naar Makoto. 'Behalve jij dan natuurlijk,' voegde hij er snel aan toe.

Teti zuchtte. 'Het is een lang verhaal ... maar we hebben nog wel heel even de tijd ... Hebben jullie wel eens van VitaFeex gehoord?'
Max en Milan zetten grote ogen op.
'Weg met je kwabben,' zong Milan toen zachtjes. **'Trek je rimpels strak!** Gooi al je jaren in de afvalbak! Wie maakt dat je langer leeeeeft?'
Max viel in en samen zongen ze: 'Het is VitaFeex! VitaFeex! Viii-Taaa-Feeeex!!!'
Makoto keek hen aan alsof ze gek waren.
Teti lachte. 'Precies! VitaFeex! Dat verjongingsbedrijf. Bekend van radio en tv. Zij zitten hierachter.'
'Wáár achter?'
'Rustig ... rustig ... Jullie hebben die dieren gezien in het lab?'
Ze knikten alle drie.
'Hier op de helling is de enige ingang naar een grottenstelsel. Vulkanisch. Heel oud. Kilometers gangen en zalen, verwarmd door hete bronnen, verlicht door lichtgevende algen. Een wereld met zijn eigen dieren en planten.'

'Dat is toch onmogelijk?' stamelde Milan. 'Zoiets kom je alleen in een game tegen ...'
Max grijnsde spottend. 'En de broer van meneer Teti heet Tetikhamon, zeker? De beroemde Egyptische farao.'
Makoto vulde een teiltje met heet water en begon af te wassen.
Teti ging onverstoorbaar verder. 'Mijn volk kent de grotten al duizenden jaren.'
Makoto zette de schone borden een voor een in het afdruiprek.
'Tien jaar geleden kwam er een Deen naar dit eiland: professor Anders Andersom. Woorden uit onze taal en kunstvoorwerpen van mijn volk hadden hem op het idee gebracht dat er op dit eiland iets te vinden moest zijn. Hij wist niet wát, maar hij was heel koppig. Vier zomers lang ondervroeg hij iedereen. Uiteindelijk voerde hij de vorige bewaker van de Bron, Kataknaknakwhiskykloklokttiktik, zo onvoorstelbaar dronken, dat die hem vertelde over de grotten.' Teti zuchtte. 'Tja... Het was natuurlijk ook niet slim om hém bewaker van de Bron te maken ...'
'Hoezo?'
Teti grinnikte. 'Zijn naam betekent in onze taal "Hij die op de verkeerde momenten meer van whisky dan van water houdt" ... Nou ja ... Terwijl Kataknaknakwhiskykloklokttiktik dronken was, glipte Andersom de grotten in. Ik werd erbij gehaald, en toen Andersom een paar dagen later weer naar buiten kwam, wiste ik zijn geheugen. We voerden zijn onderzoeksverslag aan de walrussen, en hij ging verward terug naar huis. Hij werd ontslagen, omdat zijn onderzoek niets had opgeleverd. We dachten dat het daarmee voorbij

was.' Teti schraapte zijn keel. 'Koffie!' riep hij toen. 'Is er al koffie?'
Max wees naar de waterkoker. 'Er is al heet water.'
Makoto gooide een paar scheppen oploskoffie in een mok.
Teti knikte. 'Veel suiker graag ... Er moet iets zijn gebeurd waardoor Andersom zijn geheugen heeft teruggekregen.
Ik weet niet wat, maar ineens was hij er weer. Met die gruwelijke mensen van VitaFeex.' Teti spoog die naam uit met woede en minachting. Daarna nam hij een slok van de koffie die Makoto voor hem had neergezet en spoog die ook uit. Over de hele tafel.
Er volgde een reeks vervloekingen in het Inuit die we hier niet letterlijk zullen vertalen. Maar het kwam erop neer dat Teti de koffie vergeleek met de dampende uitwerpselen van ijsberen en zeehonden.
Toen hij uitgesputterd was, stamelde Teti: 'Heet!'
Makoto knikte blij. 'Hete koffie,' zei hij. 'Heet en sterk.'

'Wat zoekt VitaFeex hier?' vroeg Milan, toen Teti uitgeprutteld was.
'Andersom kreeg bij geen enkele universiteit meer werk. Daarom is hij naar dat bedrijf gestapt. Het grootste geheim van de grotten is namelijk de Bron des Levens ... Die dieren in die potten ... Al die vreemde soorten ... Dat komt door de Bron des Levens. Die bevat een bijzonder mengsel ... De Bron is een van de laatste plekken waar oersoep opborrelt. Dat is de vloeistof waarin het leven ontstond, heel lang geleden. De Bron zorgt ervoor dat het leven in de grotten zich heel snel ontwikkelt. Dagelijks ontstaan hier nieuwe soorten planten en dieren. Het water is geneeskrachtig en maakt je

sterk. Eén slok en je bent dagenlang sterker dan ooit.'
'En nu wil VitaFeex natuurlijk het water uit die bron stelen om het duur te verkopen!' riep Milan.
Teti knikte. 'Ze zullen pijpleidingen aanleggen, ziektekiemen meenemen en dieren doden. Koude poollucht zal de grotten binnendringen, veel soorten zullen uitsterven ... De Bron zal leeg raken, terwijl het leven op aarde ervan afhankelijk is.'
'Waarom?'
'De Bron des Levens houdt de natuur op gang. De dampen uit de Bron zorgen voor nieuwe planten- en diersoorten. En die zijn nodig als de wereld verandert. Soms ontsnapt een soort uit de grotten ... Via tunnels en rivieren die zelfs mijn volk niet kent. Zo blijft het leven op aarde in stand.'
'Hebben die mensen van VitaFeex die ijsbeer gedood?'
'Ketitlok?' Teti knikte weer. 'Mijn goede vriend ... Mijn totemdier. Ze schoten hem na een paar weken opeens neer. Ze waren al een paar keer bij mij langs gekomen, nadat ze die gebouwtjes hier hadden laten neerzetten. Ik probeerde hen te laten geloven dat Andersom gek was, en ineens, totaal onverwacht: Panggg!' Teti schudde het hoofd. 'Toen ze Ketitlok neergeschoten hadden, was het niet moeilijk om ook mij gevangen te nemen ... Als ze hadden geweten over wat voor krachten ik beschik, hadden ze mij ook gedood. Dat weet ik zeker.' Teti sprong op. 'De rest vertel ik onderweg ... We moeten nu snel vertrekken. Ze hebben een voorsprong van drie dagen!'
'Heeft u drie dagen in dat schuurtje opgesloten gezeten zonder eten en drinken?'
'Acht,' zei Teti. 'Ze hebben eerst een kleine, tweedaagse onderzoekstocht ondernomen. Vandaar die foto's en die

beesten in potten ... Maar dat doet er allemaal niet toe. We moeten ze inhalen voor ze de Bron bereiken, want als ze daar eenmaal van gedronken hebben, kunnen we niet meer winnen.'
'Maar wat moeten we dan doen?' Milan keek Teti ongerust aan.
'Ze verslaan, natuurlijk!
Daarom heb ik jullie opgeroepen.'
Max sprong op. 'Zijn ze gewapend?'
Teti knikte. 'Pistolen en messen ... Ons enige geluk is dat ze de weg niet weten. Het zal ze veel tijd kosten om de Bron te vinden.'

Ineens gromde Makoto. Met een frons, alsof hij iets niet begreep, keek hij Teti aan. 'Teti heeft ons opgeroepen?'
Teti grijnsde. 'O, ja, dat is heel anders gelopen dan ik had gehoopt. Weten jullie, ik ben sjamaan, en toen ik eenmaal opgesloten zat, ben ik ...'
'Een sjamaan, is dat zoiets als een medicijnman?' onderbrak Max hem.
'Ja, ik ben genezer. Maar daarnaast ben ik een reiziger door de Geestenwereld, dat is de wereld áchter de gewone wereld. Toen ik opgesloten zat, ben ik gaan mediteren en toen ben ik in trance naar de Geestenwereld gereisd. Daar heb ik de grote ijsberengeest aangeroepen. Het was moeilijk, want mijn arme echte ijsbeer was dood ... Pas na dagen verscheen hij.' Teti's ogen werden donkerder. 'Hij sprak over een toernooi in San Francisco. De deelnemers waren in de buurt. In de lucht. Ik vroeg de ijsberengeest of hij een paar van die sporters mijn kant uit wilde sturen.'

'De storm waar ons vliegtuig in terechtkwam!' riep Max, die nu toch overtuigd leek door Teti's verhaal.
Teti knikte. 'Precies. De storm kwam van de ijsberengeest. Drie Strijders zouden mijn kant uit komen: een walrus, een poolvos, en een ... goudgekleurde baviaan met groene strepen ... Heel vreemd.'
Milan zette grote ogen op ... Hoe wist die Teti dat zijn baviaan in *Baboon Empire* er zo uitzag? Dat kon hij helemaal niet weten. Zou die Inuit dan toch over bovennatuurlijke krachten beschikken?
Teti schraapte zijn keel. 'Kom, op, jongens. Inpakken en wegwezen. Nu!'
Max knipperde met zijn ogen en keek Milan en Makoto vragend aan. 'Dus ... we gaan?'
Makoto knikte.
Milan rolde met zijn ogen en spreidde toen hulpeloos zijn handen. 'Blijkbaar ...'

7. De grotten in

Terwijl Max, Milan en Makoto op aanwijzing van Teti alle spullen bij elkaar zochten die ze nodig zouden hebben, glibberden drie mannen en een vrouw diep onder de bergen van het eiland door een nauwe, hobbelige grot. Ze sjouwden alle vier grote, lege jerrycans met zich mee. Onhandig grote watertanks. Die hadden ze bij zich om te vullen met geneeskrachtig water uit de Bron des Levens.
Het was vochtig en schemerig in de grot. Lichtgevend slijm bedekte de wanden en zespotige diertjes kriebelden en fladderden overal rond. Veel meer dan hun eigen hijgende ademhaling was niet te horen.

'Het is niet ver meer nu, niet ver meer naar de Derde Hal ... Straks wordt het pad breder. Echt, ik zweer het.' Zenuwachtig keek professor Andersom om naar zijn reisgenoten. Alleen dankzij het geld van VitaFeex was hij weer hier, in deze onvoorstelbare wereld. Dat was geweldig, maar het waren beslist geen lieverdjes, die mensen van VitaFeex. Direct achter hem liep dokter Bernhard Bluthblaer, hoofd van VitaFeex' Afdeling Levensverlenging. Hij was computerprogrammeur, plastisch chirurg en zeer bedreven met messen. Andersom kreeg overal jeuk als hij dacht aan het vlijmscherpe mes waarmee Bluthblaer de hele tijd speelde. Bluthblaers vingervlugheid met dat mes was heel goed van pas gekomen toen ze die wollige vleermuizen van zich af moesten houden. En later kwam dat mes ook goed van pas, toen die slijmerige slangen opdoken en hen van alle kanten aanvielen. Maar toch gaf het Andersom de kriebels.

Misschien kwam het door het geniepige plezier dat de chirurg uitstraalde als hij flitsend uithaalde met zijn mes.
Achter Bluthblaer liep Victoria Feex zelf: oprichtster en directrice van VitaFeex. Mevrouw Feex was meer dan tachtig jaar oud, maar door keiharde training, tientallen chirurgische ingrepen, en door het slikken van allerlei geheime pillen en poeders, was ze sterker en sneller dan veel topsporters. Professor Andersom was er bovendien achter gekomen dat ze over allerlei digitale en elektronische snufjes beschikte. Die waren onderhuids ingebracht door Bluthblaer zelf. Systemen en programmaatjes die haar enorme, onverwachte krachten gaven.
In gedachten noemde Andersom haar huiverend CyberGrannie of RoboBarbie. Het vreemdste aan haar was nog wel dat ze bijna nooit gewoon at of dronk. Ze leefde op crèmes (waar ze de potjes van leeg lepelde alsof het puddinkjes waren), parfum (waar ze hele flesjes van leegdronk), stroomstootjes en software-updates die Bluthblaer haar af en toe toediende vanaf zijn laptop. Het was niet echt duidelijk of je Victoria Feex nog wel een mens kon noemen. Het was zelfs niet duidelijk of ze nog wel echt levend was.
De rij werd gesloten door Meut Rauman. Een grote, gespierde vent. De persoonlijke bodyguard van mevrouw Feex. Hij was zo'n type dat je liever niet tegenkomt als je 's avonds in je eentje over straat loopt. En zeker niet zoals hij er nu bij liep, met in beide handen een pistool en om zijn schouder een of ander automatisch vuurwapen – Andersom wist niet hoe je dat soort dingen noemde, maar het zag er tamelijk dodelijk uit. Ook deze wapens waren trouwens al meerdere keren van pas gekomen: de planten en dieren hier

onder de grond waren niet alleen zeer bijzonder, maar vele waren bovendien erg gevaarlijk.

In de poolbasis deelde Teti op dat moment rugzakken uit. De jongens propten de spullen erin. Teti inspecteerde hun kleding, en daarna vertrokken ze. Ze liepen de helling recht achter het gebouw op. De kleine poolvos huppelde blij achter hen aan, terwijl hij zijn blik bijna de hele tijd op Max gericht hield.
In het begin ging het makkelijk, maar al snel werd de berg steiler en glibberden ze over hard bevroren sneeuw en ijs. Er waren dan wel treden in het ijs uitgehakt, maar die waren spekglad. Eén misstap en je zou honderden meters naar beneden stuiteren.
'Het is niet zo ver.' Teti wees naar een zwart vlekje hoog op de helling. 'Daar is de ingang. Halfuurtje klimmen.'
Teti en Max hadden er geen moeite mee. Verend en licht bewogen ze zich naar boven. Teti liep makkelijk, omdat hij het ijs gewend was, de juiste schoenen droeg en hier al zo vaak naar boven was geklommen, en Max omdat hij als freerunner nu eenmaal overal moeiteloos naar boven klom. Makoto kwam langzamer vooruit, maar het idee dat hij zou kunnen vallen of uitglijden, leek absurd. Makoto was nu eenmaal een soort onwrikbaar rotsblok.
Voor Milan was de ijshelling echter een beproeving. Hij had het steenkoud en was nog steeds snipverkouden. Met zijn gladde gympen had hij geen houvast op het ijs en al snel vervloekte hij bij iedere stap het besluit om mee te gaan. Hij had toch achter kunnen blijven om de basis te bemannen? Dat zag je altijd op tv, in documentaires

over bergbeklimmers: dat er mensen achterbleven in het basiskamp, die hulp konden bieden als het misging, of zo. Wie weet had hij dan zelfs wel een manier gevonden om die laptop op te starten, en dan dat modem ... En dan had hij fijn het internet op gekund en *Baboon Empire* kunnen spelen terwijl hij lekker warm binnen op hulp wachtte. Een zak chips binnen handbereik, een reep chocola, een blikje cola ... Dat was cool geweest, dan was hij de noordelijkste speler ooit geweest en ...

'WHAAH!'

Ineens lag Milan languit op de ijzige treden. Alleen met een paar laatste randjes van zijn afgekloven nagels kon hij voorkomen dat hij direct helemaal weggleed en de diepte in stortte.

Maar het was niet genoeg. Zijn nagels schuurden krassend over het harde ijs weg.

Hij moest ... hij moest ...

Hij beet zich met zijn boventanden met een klap vast in het ijs, negeerde de pijn aan zijn tanden en de kou, en zo bleef hij hangen zonder zich verder te verroeren. Tot Makoto hem overeind hees.

'D-dank je w-wel,' zei Milan klappertandend. **'Z-z-zaten we maar bij de Nolympische Spelen. Dan ...'** Zijn stem stierf weg. Hij durfde niet opzij te kijken naar Makoto, bang dat hij dan ook de diepte zou zien waar hij bijna in geduikeld was.

'Hmmm,' bromde Makoto, 'dan had je vanochtend geen meeuwenroerei gegeten.'

Uiteindelijk bereikten ze een rotsplateau waar om de een of andere reden geen sneeuw of ijs lag. Hijgend hielden ze

stil en keken om, naar de zee en de gebouwtjes in de diepte.
Milan plofte neer op de grond, naast de kleine poolvos.
Het dier blafte naar hem, sprong beledigd op en ging bij de voeten van Max liggen.
'Tss ... vosje wil alleen maar bij baasje zijn.'
Max hurkte bij de vos en krabde hem achter de oren.
'Aahhh...' mompelde Milan jaloers, 'wat scháttig ... Gewoonweg póépig,' en ging liggen. 'Het is warm!' riep hij toen. 'Die rotsen zijn *warm*.'
Teti glimlachte. 'Vulkanisch ... zei ik toch?'
De anderen voelden ook aan de rotsen en ze zagen het nu ook: uit een paar barstjes in de rots stegen rookpluimpjes op.
'Damp,' zei Teti. 'Snuif maar op ... Dat geeft je kracht, want het bevat sporen van de Bron!'
Milan strekte zich uit naar een van de pluimpjes en snoof er heel voorzichtig aan. Hij trok een vies gezicht. 'Ruikt naar ... Zwitserse kaas, met vleugjes ...' Hij fronste zijn voorhoofd en dacht even diep na. '... zure haring en héél erg oude erwtensoep?'
Teti knikte. 'Lekker hè? Heel diep opsnuiven! Doet je goed!'
Milan snuffelde met een vies gezicht nog wat op. Toen klaarde zijn gezicht op. 'Het werkt ...' mompelde hij verbaasd en hij sprong op. 'Het werkt echt, jongens!'
Hij boog voorover en snoof nog meer van de damp op.
'JOEWAHIHAAA!' bulderde hij toen, en een eind lager op de berghelling, waar de rots steil omlaag ging, vlogen honderden meeuwen krijsend op.
Max en Makoto snoven nu ook voorzichtig en vies kijkend aan de damp. En ook zij voelden zich binnen een paar tellen niet meer moe, maar juist sterker dan ooit.

Teti knikte goedkeurend en nam zelf ook een paar snuifjes. 'Kom. Dan gaan we naar binnen.' Hij wees tussen twee grote rotsblokken door, waar een smal paadje naar de ingang van de grot leidde.

De ingang van de grot die volgens Teti toegang zou bieden tot een ongelooflijke, andere wereld, stelde helemaal niets voor. Ze liepen een zwarte, rotsige gang in, koud en klam. Doordat de gang de eerste meters steil naar boven kronkelde en daarna met een paar bochten steil naar beneden liep, bevonden ze zich al heel snel in een kil aardedonker.
Teti was de enige met een zaklamp. Heen en weer flitsend verlichtte de lichtbundel de zwarte wanden.
'Het zou hier toch licht zijn?' zei Max en hij struikelde bijna over het vosje dat voor zijn voeten dribbelde.
'Verderop. Eerst moeten we een heel eind naar beneden,' antwoordde Teti. 'Dit is een oeroude schoorsteen, uit de tijd dat de vulkaan nog actief was. Een rookkanaal voor vulkanische gassen.'
'Waarom hangen hier dan niet van die warme dampen?'
Teti haalde zijn schouders op. 'Niemand weet precies hoe alle gangen en rookkanalen lopen. De berg is een grote gatenkaas. Beneden zijn nog een paar dampplekken, maar hier toevallig niet.'
Terwijl Teti hen vertelde over de vijand die ze moesten opsporen, daalden ze verder af door de zwarte gang. Teti had kennisgemaakt met Bluthblaer, mevrouw Feex en Rauman toen ze hun kamp opsloegen aan de voet van de berg. Professor Anders Andersom kende hij natuurlijk al langer. De eerste dagen had hij ze in de gaten gehouden, voordat ze hem

gevangen namen. Hij wist dus wel zo ongeveer waartoe ze in staat waren.

Nadat Teti alles verteld had wat hij over VitaFeex wist, liepen ze zwijgend verder door de tunnel, die steeds nauwer leek te worden. Tot Milan ineens stilhield ...
'Wacht! Schijn eens hier met die lamp!'
Teti stopte, keek om en richtte zijn lamp op de plek waar Milan naar wees. Vervolgens liet hij glimlachend de lichtbundel verder dwalen over de wanden en het plafond.
'WAUWW!'
Overal lichtten tekeningen op uit het duister. Mammoeten, sabeltandtijgers, walvissen, orka's, zeehonden ... De wanden en plafonds waren overdekt met tekeningen van allerlei dieren. Maar er waren niet alleen afbeeldingen van bekende dieren op de rotsen geschilderd. Ze zagen ook een soort kameel met een gewei en een slurf – of was het een olifant met bulten? Ernaast waren meerdere viervleugelige vogels getekend, zoals ze ook in het laboratorium hadden gezien.
'En dat ...' Max wees en Teti richtte de lantaarn.
Uit het duister lichtte een dier op dat nog het meest op een stevige hond leek. Maar dan met grote oren, zoals een haas, en een buidel waaruit een jong naar buiten keek.
'Kom,' zei Teti. 'Straks zie je sommige van deze dieren in het echt. Hoewel de meeste alweer uitgestorven zijn. Mijn volk tekent die soorten hier op de rotsen, voor ze voorgoed weer verdwijnen.'
Hij richtte de lichtbundel weer de diepte van de tunnel in. Even verderop zat Max' poolvos kwispelstaartend op hen te wachten.

8. In de Eerste Hal

Puffend zocht Milan steun bij de rotswand.
Yeggg!
Iets kouds en stekeligs wriemelde onder zijn hand. Rillend en griezelend trok Milan zijn hand terug. Iets slijmerigs droop in zijn nek. Hij sprong opzij.
'Is het al tijd voor pauze?' riep hij in de richting van Teti's lamplicht.
'Vijf minuten,' kwam het antwoord. 'Dan zijn we in de Eerste Hal.'
Milan strompelde achter de anderen aan. Zijn conditie was niet geweldig, dat wist hij zelf ook wel. Gamen is niet de beste sport om sterk van te worden. Hij kon echt wel een eind lopen, maar dit duurde een eeuwigheid. En hij had het toch al niet op donkere grotten.
Hij moest de hele tijd denken aan *Monster Cave*. Een stomme game van een paar jaar geleden. Het enige computerspel dat hij nooit uitgespeeld had. Ergens was hem iets ontgaan. **Iets heel kleins,** waardoor hij zeker honderd keer en steeds op dezelfde plek door dat ellendige gele plopmonster leeggezogen was. **WALGELIJK** was het geweest. Nog steeds hoorde hij af en toe het slurpende geluid van dat idiote plopmonster in zijn oren. Hij had natuurlijk op internet kunnen opzoeken hoe je verder kwam, maar dat was beneden zijn waardigheid. Gamepuzzels oplossen moest je zelf doen.
Sinds die mislukking in *Monster Cave* had hij nooit meer iets met grotten te maken willen hebben. Maar nu daalde hij al uren af in een prehistorische vulkaan. Met die drie mafketels –

want hoe goed kende hij ze nou eigenlijk? En een poolvos. Hij had er heel wat voor overgehad om nu lekker warm en droog boven zijn tablet te hangen.
De tunnel boog steeds opnieuw af, werd smaller en hoger en dan weer zó laag, dat ze moesten bukken om verder te komen. Hun enige houvast was het blikkerende licht van Teti's lamp. Een paar keer roken ze iets onbekends – iets wat ergens lag te rotten, iets dierlijks, of vreemde bloemen. En één keer klonk er geruis boven hun hoofd: het klapwieken van grote vleugels. Maar toen Teti het licht naar boven richtte, was er niets te zien.

'Kijk!' riep Teti. 'Licht!' Hij klikte de zaklamp uit en het werd in één klap volstrekt aardedonker.
Max knipperde met zijn ogen. Maar of hij ze nu open hield of dicht, het leek niets uit te maken. 'Mooi licht,' zei hij toen maar spottend.
'Ja, prachtig,' beaamde Milan. 'Dat is zeker heel speciaal, fossiel grottenlicht. Helemaal zwart!'
'Goed kijken!' bromde Makoto.
'Waar?'
'Recht vooruit.'
Nu zagen Max en Milan het ook: een blauwe lichtwaas in de verte. Niet meer dan een mistig vlekje.
'O.'
'Nou, vooruit dan maar.'
'Hmm.'
Teti knipte de lamp weer aan en ze liepen verder. Langzaam gloeiden de wanden van de grot op, en na nog een paar bochten, werd de gang breder en hoger. De jongens baadden

in een felle blauwe gloed die overal en nergens vandaan leek te komen. Het was een spookachtig gezicht: grillige, kale rotsen die puntig uitstaken, blauw, maar zonder schaduwen.
'Daar! Kijk dan!' Max wees en de anderen zagen een dier wegglippen tussen de rotsen, zo groot als een hond, maar vreemd glanzend. Ergens anders vloog met schril gegil en flapperende vleugels een soort vogel op – of was het iets heel anders?
Nog een meter of honderd verder, kwamen ze van tussen de rotsen in een ruimte terecht die zo groot was, dat ze het andere einde ervan niet konden zien. Ook het plafond was onzichtbaar. Voor hen, onder aan een lange, glooiende helling, ontrolde zich een onvoorstelbaar landschap. Er groeide daar van alles. Donkere struiken die in dit licht haast zwart leken, palmboomachtige reuzenvarens, en in de verte lag een vreemd oranje vlak. Was het een oranje meer, of groeide daar iets enorm groots met een oranje kleur? En tussen de bomen en struiken bewogen een soort lianen, of lopende stengels, die zich om van alles heen wikkelden, om zich heen tastten en dan weer verder bewogen.
Op de open vlakte graasden dieren die nog het meest leken op buffels of gnoes, maar ze waren een stuk groter en hadden zes poten. En er vlogen groepen papegaaiachtige vogels met lange staarten rond en ...
'Vier vleugels,' mompelde Milan. 'Ze hebben vier vleugels.'
Teti keek om. 'Mooi toch, ja?'
Max en Milan knikten sprakeloos. Makoto lachte naar Teti en boog toen in een oosterse groet, zijn beide handen samengevouwen.

Teti plofte neer op een rots en haalde wat te eten en te drinken tevoorschijn. Milan en Makoto gingen bij hem zitten, maar terwijl de anderen pauzeerden, rende Max heen en weer. Hij sprong van rotsblok naar rotsblok, samen met de vos die al even opgewonden en beweeglijk ronddartelde. Na een paar minuten kwam Max aanzetten met een leeg colablikje. 'Er ligt daar nog meer rommel.' Hij wees. 'Is dat van de vijand?'
'Moet wel,' antwoordde Teti. 'Niemand anders komt hier.'
'Maar als die mensen van VitaFeex drie dagen op ons voorliggen, dan halen we ze toch nooit meer in?' vroeg Max toen.
'Ik denk ...' Teti aarzelde. 'Nee, ik hoop ... dat professor Andersom de kortste weg naar de Bron des Levens niet weet. De vorige keer heeft hij hier alleen maar een aantal dagen rondgezworven. Wij gaan er recht op af. Zo over die vlakte.' Hij wees. 'Die route is gevaarlijker dan wanneer je langs de rotswand loopt, maar we winnen er meer dan een dag tijd mee ... Als jullie als eersten van de Bron drinken, moet het mogelijk zijn om onze vijand te verslaan.'
'En anders?'
Teti giechelde. 'De wereld is zoals ze is ... en een walvis is geen vis!' Hij sprong overeind.
'Kom. Als we heel rustig lopen doen de reuzengnoezio's ons niets. Het zijn planteneters. Lieve beesten.' Hij wees in de verte, voorbij het oranje vlak. 'We slapen vannacht bij de linkerwand, bij de doorgang naar de Tweede Hal. Daar trekken we morgen doorheen. Met een beetje geluk bereiken we dan via een tunnel die Andersom vast niet kent, aan het einde van de dag de Bron.'

Het was fantastisch in de grot. Max, Milan en Makoto vielen van de ene verbazing in de andere. De dieren, de planten, het een leek nog buitenaardser dan het andere. Makoto leek het allemaal wel grappig te vinden en was niet heel erg verbaasd, maar Max en Milan voelden zich alsof ze in een krankzinnige droom verzeild waren geraakt.
'Onmogelijk,' bleef Milan maar zeggen, 'je zou dit zo in een game kunnen gebruiken!' De ene keer hurkte hij dan bij een wollig plantje dat met kleine grijparmpjes driftig zaadjes in het rond gooide. De volgende keer staarde hij naar een metalig glanzende vlinder zo groot als een soepbord, die op een bloem zat die nóg groter was.
Max rende vooral als een dolle heen en weer, alsof hij alles wat hij zag in zich op wilde zuigen. Hij raapte afgevallen bladeren op, felgekleurde veertjes en vreemd gevormde plantenzaden. 'Daar zouden we iets mee moeten doen!' zei hij dan, waarna hij weer verder rende ... Hij beklom de hoge termietenbergen die overal oprezen en slingerde aan de slingerlianen die zelf de hele tijd rond slingerden van boom naar varen naar struik. Max gilde als Tarzan in Wonderland en werd blij blaffend gevolgd door de poolvos die volgens Teti zijn totemdier was.
Tot ze bij de uitgestrekte open vlakte kwamen waar de reuzengnoezio's graasden ...
Die beesten waren toch wel groot.
Heel erg **groot.**
Groter dan een flinke neushoorn, ongeveer zo groot als een bestelbusje. Eén trap van een poot en al je botten zouden breken. Eén goed gerichte uithaal van een van die meterslange hoorns en je zou eindigen als een brokje vlees

op een satéprikker. Loom stonden de dieren te herkauwen. En het waren er honderden.

'Ze zijn vreselijk schuw ...' fluisterde Teti. 'Helemaal niks gewend zijn ze ... Het zijn schatjes ... Watjes. Maar wel watjes van tienduizend kilo. Dus absoluut géén onverwachte bewegingen maken, en zo min mogelijk geluid! Anders slaan ze op hol.' En hij ging hen licht voorovergebogen voor.

De jongens en de vos volgden, zo stil als ze konden.

De reusachtige herkauwers volgden hen met slome, maar oplettende blikken. De meeste lagen lui in het gras, half slapend. Vliegen zwermden om hen heen.

Het viertal snelde stilletjes tussen de reusachtige dieren door, ongestoord, tot Milan moest niezen.

'HA... ha...'

Max sloeg zijn hand voor Milans gezicht. 'Ben je gek geworden!'

Milan knipperde met zijn ogen en snifte. 'Het is al over,' klonk het gedempt van onder Max' hand.

En verder ging het weer.

'HATSJOEEE!'

De anderen keken om. Milan staarde hen onnozel lachend aan. Om hen heen begonnen de gnoezio's op te staan, sommige schraapten met hun poten. De grond trilde ervan.

'Eh... sorry ... Ha ... HA ... TSJOE!'

Milans tweede nies klonk nog veel harder dan de eerste. Overal om hen heen schudden de reuzendieren hun gehoornde koppen. Ze stonden loeiend op en trappelden nerveus. Teti gebaarde dat ze doodstil moesten zijn en stil moesten blijven staan.

Heel langzaam kalmeerden de dieren.
Teti wees naar een groot rotsblok, een paar honderd meter verderop. De jongens knikten dat ze het begrepen: als de dieren alsnog op hol sloegen, zouden ze daar veilig zijn.
Voetje voor voetje slopen ze verder, aan alle kanten omringd door klaaglijk loeiende reuzengnoezio's. Het leek goed te gaan. De dieren snoven wel angstaanjagend, maar ze bleven rustig.
Tot een van de dieren zelf nieste. Daarbij schudde hij woest met zijn kop en raakte een van de anderen met zijn hoorns. Van het ene op het andere moment begonnen alle dieren over de vlakte te lopen. Te draven. Te rennen. Tot ze uiteindelijk met zijn allen in paniek op hol sloegen.
Meerennen! Dat was het enige wat er voor Teti en de jongens op zat. Tussen honderden poten die dreunend neerkwamen. Tussen honderden briesende beestenkoppen met zwiepende hoorns. Bekogeld door pollen gras en aarde die door de stampende poten werden opgeworpen.
Max dribbelde overal tussendoor, gevolgd door een flitsende witte vossenschaduw. Een paar keer dook hij zelfs tussen de poten van een dier door. Teti keek met felle blik om zich heen en rende sneller en zekerder dan je van zo'n oude man zou verwachten. Makoto leek volledig op zijn eigen trage massa te vertrouwen. Hij stormde als een stevig gnoetje tussen de gnoezio's trefzeker in de richting van de rots – want gelukkig denderden de dieren min of meer de goede kant uit.
Alleen Milan leek ieder moment geraakt te kunnen worden door een hoef of een flank of een hoorn. Keer op keer moest hij op het laatste moment wegduiken, om dan net op tijd

weer overeind te krabbelen. Hij raakte ver achter op de anderen en ieder moment kon het fout gaan.
‘Neeee!’ riep Max, toen hij zag wat er met Milan gebeurde. Als eerste had Max de rots bereikt en die met de vos in zijn armen beklommen. Hij keek toe hoe de anderen vochten voor hun leven en zag hoe Milan op de hoorn werd genomen door een van de gnoezio’s. Een kromme hoorn van zeker twee meter lang. Milan sloeg zijn armen en benen om de hoorn en werd meegesleurd door het dier, dat wild met zijn kop schudde om zijn vreemde last kwijt te raken.
‘We moeten iets doen ... We moeten iets doen,’ mompelde Max verbeten. ‘Maar wat?’
Rondom hem kolkte de kudde. Hoeven sloegen vonken uit de stenen. De aarde trilde ... Max stak een hand uit naar Teti en hielp hem omhoog, en daar kwam Makoto ook al aan. Belachelijk: die kleine sumoworstelaar liep rustig door, zonder op of om te kijken, alsof er niets aan de hand was ... En het werkte. Ongeschonden kwam Makoto aan bij de rots. Teti en Max hielpen hem naar boven.
Milan was nu ook vlakbij. Hij hing aan de hoorn van de gnoezio als een vlag aan een vlaggenstok.
Makoto zei: ‘Hmm,’ en keek bezorgd toe.
Max wist eindelijk wat hij moest doen. Hij sprong van de rots en brulde: ‘Laat los als ik het zeg!’ Vervolgens rende hij mee met de gnoezio waaraan Milan hing. Hij keek naar het beest, wachtte af, bekeek de dreunende kolossen om hen heen, en schreeuwde toen eindelijk: ‘Nu!’
Milan liet los.
Max stuitte hem in zijn val. ‘Rennen!’ brulde hij, terwijl hij Milan overeind sleurde.

Springend, strompelend, duikelend en zigzaggend bereikten de twee de rots, en de anderen hielpen hen er snel bovenop. Daar puften ze uit, terwijl de dieren op de vlakte ook langzaam weer tot rust kwamen.

Uiteindelijk bereikten ze een uurtje later ongedeerd de oranje vlek die ze vanuit de verte al hadden gezien. Het bleek een meer te zijn dat gevuld was met een dikke vloeistof. Duizenden kleine wezentjes vlogen er vlak boven in het rond: gevleugelde, roze bolletjes die met hun lepelvormige voorpootjes steeds kleine hapjes uit het meer namen.
'Algensoep,' zei Teti schouderophalend. 'Regenboogalgen. Het meer heeft iedere paar weken een andere kleur. Voedzaam spul, maar het smaakt niet lekker ...'
'Hmm,' mompelde Milan nieuwsgierig. Hij stak zijn neus omhoog en snoof keurend de lucht op. 'Ruikt naar ... zweetvoeten met wat kokos.' Hij fronste. 'En ... een ... vleugje, nee ... een zwémbad vol kippenstront ... Yeggg!'

De anderen waren niet geïnteresseerd in zijn geurbeschrijving en hielden vooral hun neus stevig dicht. Dwars door wolken stank en zwermen van de roze pluizenbolletjes volgden ze de oevers van het oranje meer, tot ze volgens Teti eindelijk konden afbuigen. Opgelucht liepen ze een rotsige vlakte op, waar grote bollen mos met ogen op steeltjes groeiden. Verder leefde er niet veel. De ogen van het mos volgden hen bij alles wat ze deden. Af en toe schoot het mos een klein, hard zaadje op hen af. Maar echt gevaarlijk was het mos gelukkig niet.

Doodmoe, na een lange wandeling, bereikten ze uiteindelijk de linkerwand van de grot. Ze kwamen precies bij de ingang van een smalle tunnel uit. Aan het einde ervan, nog geen vijftig meter verder, scheen geel licht.

9. Bluthblaer en Rauman

'Wauwwie!' Max keek verbijsterd rond. In de Tweede Hal woekerde een soort tropische jungle. De poolvos, duidelijk niet gewend aan dit soort omgevingen, schurkte zich jankend tegen de benen van Max aan.
Overal krijsten aapachtige eekhoorntjes. Ze hadden alle kleuren van de regenboog. Flitsend sprongen de diertjes door kronkelige bomen waar niets recht aan was, zelfs de stammen niet. Boven de bomen vlogen allerlei viervleugelige vogels. Insecten met enorme, groene ogen, heel lange poten of glinsterend als goud, vlogen rond en ...
'Het lijkt wel een game!' zei Milan. '*Maffe MaxiMegaMutanten*, of zoiets.' Hij keek verrukt om zich heen.
'We moeten verder, jongens.' Teti liep een pad op dat recht de jungle in leidde.
Max, Milan en Makoto volgden hem.

Aan het einde van de Eerste Hal hadden ze gegeten en een paar uur geslapen. Veel te snel had Teti hen weer gewekt. Maar nu ze eenmaal hier waren, vergaten ze direct hoe moe ze waren.
'Er kwam hier toch bijna nooit iemand?' vroeg Milan.
Teti knikte. 'Klopt.'
'Waar komt dat pad dan vandaan?'
'Reuzenschildpadden. Dat zijn erg slimme beesten. Ze hebben een wegennet aangelegd door dit woud. Erg handig.'
'Oké, maar ...'
'Sst!' Teti keek gespannen om zich heen.

Ineens was het doodstil in de jungle.
De jongens keken Teti vragend aan. In de verte klonk een schot. Ze hielden alle vier hun adem in en de vos dook weg achter Max' benen.
'Dat zijn ze,' fluisterde Teti opgewonden. 'Ze zijn minder ver dan ik dacht. Ze moeten dagenlang in de Eerste Hal hebben rondgedwaald. KOM!' Hij versnelde zijn pas.
'Wacht even.' Dat was Makoto. Hij bleef staan en de anderen keken om. 'We hebben geen plan.'
Teti schudde het hoofd. 'We hebben wel een plan, alleen weten jullie het nog niet.' Hij lachte. 'Ga zitten.'
Ze gingen op het pad zitten en Teti begon te vertellen. 'Wij hebben het voordeel van de verrassing. Ze hebben geen idee dat wij achter hen aan zitten. Ze voelen zich veilig, letten waarschijnlijk niet goed op ... Dus we volgen hen en wachten af tot ze slapen. Dan sluipen we naar hen toe ... en PATS!'
Teti keek de jongens opgetogen aan.
'Is ... is dat het hele plan?' vroeg Milan bezorgd.
Ook Max keek twijfelachtig en zelfs Makoto fronste zijn wenkbrauwen.
Teti knikte enthousiast. 'Goed, hè?'
Makoto haalde zijn schouders op en zei: 'Tja... Hmm.'
'Mooi! MOOI! Ik wíst dat jullie het een goed plan zouden vinden!' Teti sprong op en liep verder.
De jongens keken elkaar aan.
In de verte klonk weer een schot. Dit keer gevolgd door een galmende echo.
'Waanzin,' mompelde Milan.
Max en Makoto knikten.

‘Deze hele onderneming is waanzin,’ zei Max.
Makoto stond op. ‘Kom,’ zei hij. ‘We moeten verder met de waanzin.’ Hij knipoogde naar Max en Milan en liep opgewekt achter Teti aan.
Max en Milan kwamen toen ook maar overeind.
‘Hoe is het mogelijk dat we hierin terecht zijn gekomen?’ Milan schudde verward zijn hoofd.
Max haalde zijn schouders op. ‘Vraag je liever af hoe we er levend uit komen!’

Veel tijd om daarover na te denken kregen ze niet, want ineens hield Teti stil. ‘Van het pad AF!’ siste hij. ‘In de struiken!’
Binnen drie tellen zaten ze met zijn vieren weggedoken achter een plant met enorme bladeren.
Teti keek de jongens ontzet aan. ‘Ze komen deze kant op! Doe jullie rugzakken af ... Neem positie in ...’ Hij tuurde het pad af.
In de verte klonken stemmen. Ruziënd geschreeuw.
Vervolgens klonk er geritsel en een lange, magere man kwam met grote passen de bocht om. In zijn hand had hij een glinsterend mes.
‘Bluthblaer,’ fluisterde Teti.
‘WHAAAA!’ gilde Milan op hetzelfde moment. Hij schoot overeind en dook het pad op. Een paar meter voor Bernhard Bluthblaer plofte hij plat op het pad.
Die keek verbijsterd naar de slungelige jongen die met zijn neus in het zand voor hem was neergekomen. Vervolgens keek hij wantrouwend rond en hij hief zijn mes.
Max, Makoto en Teti stormden uit het struikgewas

tevoorschijn. Ze konden nu niet anders dan aanvallen.
Verderop verscheen een tweede man, een enorme, gespierde gestalte. Dat moest Rauman zijn, de bodyguard. Terwijl Max en Makoto Bluthblaer aanvielen, stormde Teti op Rauman af. Bluthblaers mes flitste. Max ontweek het met gemak, hij was sneller dan wie ook. Maar hij zag geen kans om ook maar iets tegen de man te doen. Makoto bleef op veilige afstand. Hij begreep dat de man met het mes veel sneller was dan hij.
'Wie zijn júllie nou weer?!' hijgde Bluthblaer geïrriteerd, terwijl hij naar Max uithaalde. 'Wat móéten jullie? Laat ons met rust ... We moeten hier weg!'
Max sprong opzij en lokte de plastisch chirurg een paar passen achter zich aan. Makoto maakte daarvan gebruik door Milan op te tillen en hem alsof hij niets woog terug de struiken in te gooien.
'Niet daar!' krijste Milan, maar daar trok Makoto zich niets van aan.
Makoto keek vervolgens rustig toe hoe Max heen en weer sprong, steeds opnieuw wegduikend voor het lange, dunne, flitsende mes. Hij glimlachte goedkeurend toen ook de vos zich in de strijd mengde. Razendsnel hapte het dier naar Bluthblaers kuiten, om vervolgens weer weg te flitsen.
Makoto knikte een paar keer naar Max, en wenkte hem, alsof hij een teken wilde geven, dat Max Bluthblaer zijn kant uit moest lokken. Max begreep hem. Met een paar salto's en sprongen, zo snel dat ze Bluthblaer verwarden, lokte hij de man met het mes een paar passen Makoto's kant uit. Precies genoeg. Max en Makoto werkten samen als een bromvlieg en een beer: Max was vliegensvlug en ongrijpbaar, Makoto afwachtend en stevig als een rotsblok.

Makoto zette één goed gerichte stap naar voren. Hij sloeg zijn arm om Bluthblaers middel, vouwde hem met zijn vrije hand dubbel alsof hij van karton was, en werkte hem tegen de grond. Voor de man iets had kunnen beginnen, zat Makoto met zijn volle gewicht op hem. Zijn ene knie had hij op de rug van de man, zijn andere knie op de hand met het mes erin. Vervolgens kneep hij met twee vingers op een plekje in de man zijn nek, vlak onder de kale schedel, en Bluthblaer verslapte.

Makoto knipperde even met zijn ogen, glimlachte toen gelukzalig en kwam overeind.

'Achter je!' schreeuwde Max.

Makoto duwde uit volle kracht zijn ellebogen naar achteren, en Rauman, die op hem af was komen stormen, hapte naar lucht en wankelde. Makoto's elleboog had hem recht in zijn maag geraakt. Makoto draaide zich om en zag hoe Teti verderop uitgeschakeld op het pad lag.

Meut Rauman herstelde zich. 'Laat me erdoor, mafkezen!' gromde hij en hij haalde uit, met een vuist zo groot als een meloen.

Makoto ving de klap op zonder een kik te geven. Hij kneep zijn ogen tot spleetjes, op zoek naar een gat in de verdediging van de man. Hij kon nog wel een paar van die klappen opvangen, maar om hem te verslaan zou hij iets moeten doen.

Maar wat? En waar was Max nu ineens?

Rauman stapte naar voren en wilde Makoto omverduwen. Makoto greep hem vast bij zijn bovenbeen en trok. De bodyguard was minstens even zwaar en sterk als Makoto en hij gaf geen krimp. Maar hij was bovendien een stuk langer.

Zijn armen waren langer en zijn greep reikte verder. Hij boog over Makoto heen en wilde hem bij zijn broek vastpakken om hem in zijn geheel op te tillen.
Op dat moment viel er hoog boven hen iets uit een boom: Max.
'Pak hem!' riep Max naar de poolvos, terwijl hij omlaag dook.
Precies op het moment dat Max met een klap op Raumans schouders neerkwam, beet de vos met al zijn kracht in de linkerkuit van de man. Max omklemde met allebei zijn armen Raumans hoofd. Hij benam hem het zicht en trok aan zijn oren. De vos hing aan Raumans been. De reusachtige bodyguard jankte van de pijn en sloeg en trapte wild en verblind om zich heen.
Het was meer dan Makoto nodig had. Met één goed gerichte ruk trok hij de enorme man omver. Hij plantte twee vingers in Raumans nek, en ook die verslapte, net als Bluthblaer.

Hijgend wankelden de jongens achteruit.
'Wij zijn een vet goed team, man!' Max grijnsde breed.
Makoto glimlachte. 'Team.' Hij knikte bedachtzaam. Glimlachte toen. 'Hmm!'
Verderop krabbelde Teti overeind, en Milan was al bezig Bluthblaer vast te binden met een liaan.
'Maar wat deed jij nou in vredesnaam?' zei Max tegen Milan. 'Waarom viel je aan?'
'Ik viel niet aan,' zei Milan. Hij kreeg een kleur als een boei. 'Ik zat in een mierennest. Blauwe mieren met kleine slurfjes. Ze staken me ...' Hij trok de knoop aan waarmee hij Bluthblaer vastbond. 'Ik kan niet tegen

wriemelbeesten ... Dan moet ik aan computervirussen denken ... Voor je het weet is je harde schijf gewist ... Daarom dook ik de struiken uit.'

Max zuchtte heel diep. 'Nou ja ... Nu moesten we wel iets doen. En het liep goed af ...' Zijn gezicht betrok. 'Maar waar kwamen die schoten vandaan? Zij hadden geen vuurwapens!' Max keek naar Teti, die met een bloedneus naar hen toe kwam hinken.

Teti keek schuldbewust naar de grond. 'Ik weet niet waar hun pistolen zijn ... En ... sorry, dat ik zo weinig vertrouwen in jullie had ...' Hij knikte naar de mannen op de grond. 'Dit is veel meer dan ik verwacht had.'

Milan was klaar met Bluthblaer. Hij trok een tweede liaan los en begon Rauman vast te binden.

Teti hurkte bij Bluthblaer neer en keek om naar Makoto. 'Wat heb je met hem gedaan?'

Makoto grijnsde. 'Kneepje.'

'Hoelang duurt het voor hij weer bijkomt?'

'Niet lang.'

Op hetzelfde moment deed Bluthblaer alweer zijn ogen open. Scheel keek hij Teti aan. 'Jij ...' kreunde hij wanhopig. 'Ellendige Eskimo ... en je hebt Kwik, Kwek en Kwak meegebracht ... of zoiets ...' Zijn ogen rolden alle kanten op en hij sloot ze weer. 'Oooh... mijn hoofd.'

'Inuit.' mompelde Makoto.

Teti tikte Bluthblaer op zijn wang. 'Waar zijn Victoria Feex en professor Andersom?'

Bluthblaer snoof en opende zijn ogen weer. 'Jullie gaan eraan. Alle vier. Feex heeft van de Bron gedronken ... en is

gek geworden. Knotsknettergek ... en tegelijk gruwelijk sterk. Wij waren voor haar op de vlucht. Ze heeft onze wapens. Maak ons los, met zijn allen maken we misschien een kans tegen haar.'
Teti schudde zijn hoofd. 'Jullie waren al bij de Bron?! En professor Andersom? Waar is hij?'
'Die sukkel?' Bluthblaer haalde zijn schouders op. 'Vastgebonden en met een gebroken been achtergelaten in de jungle ... Is ondertussen vast opgegeten door die wilde paddenstoelen ... of anders wel door die gruwelijke slurfmieren.'
Meut Rauman kwam nu ook bij. Driftig trok hij aan zijn boeien. 'Maak me los ... stommelingen,' siste hij. 'Ze komt eraan!'

10. Victoria Feex

'Handen omhoog, jongens en meisjes,' klonk het op hetzelfde moment schel. 'En daarna geen beweging meer.' Victoria Feex stapte van achter een boom tevoorschijn. Ze droeg een kleurige, gebloemde overall. In haar handen hield ze een groot, automatisch vuurwapen, in haar ogen blonk pure waanzin. Vierentwintig karaats, zuivere waanzin. Ze stapte het pad op en gebaarde met haar wapen dat ze bij elkaar moesten gaan staan. Max, Teti en Makoto gingen dichter bij elkaar staan, bij de twee vastgebonden mannen.
Max keek Teti bevreemd aan. Waar was Milan? Teti schudde heel kort zijn hoofd. Max begreep dat hij niets moest laten merken. Op de een of andere manier moest Milan ontkomen zijn. Was zeker net even achter een boom gaan staan, omdat hij het anders in zijn broek zou doen van angst ... Nou ja, veel hoefden ze van Milan niet te verwachten. Die jongen was nog te onhandig om zijn eigen veters te strikken.
'Maak ze los,' snauwde de oude dame. 'Maar laat ik duidelijk zijn,' ging ze verder. 'Niemand van jullie zal dit overleven. Ik heb jullie nodig om mijn voorraad Bronwater naar de uitgang te sjouwen, maar daarna ... PANG!!' Ze grinnikte.
Max en Makoto maakten de twee gevangenen los, die chagrijnig overeind krabbelden.
'Is dit wat jullie wilden?' mompelde Bluthblaer kwaad.
'Stilte!' Mevrouw Feex gebaarde met haar wapen. 'Nu binden jullie allemaal je voeten bij elkaar. Zo, dat jullie nog net kunnen lopen. Allemaal aan elkaar vast, in een gezellig hobbelend rijtje achter elkaar.'
Ze wachtte tot haar bevel was uitgevoerd, wat een hele tijd

duurde, want tot drie keer toe snauwde ze dat de lianen strakker om hun enkels moesten, en de tussenruimten korter.
En al die tijd keek Milan angstig toe van achter een struik. Zijn benen waren inmiddels overdekt met mierenbeten, en overal op zijn lijf wriemelden de slurfmieren, maar hij gaf geen kik. Hij moest wachten tot ze weg waren. Pas dan mocht hij weer bewegen. En ervandoor gaan. Of een plan maken. Of zoiets. Misschien. Dus.

Eindelijk was Victoria Feex tevreden. 'Lopen maar ...' siste ze. 'Naar de Bron gaat het ... Van je een, twee, drie ... *hi hi hi.*'
En in een kleine optocht vertrokken ze. Bluthblaer voorop, gevolgd door Teti, Max en Makoto, en Rauman sloot de rij. Vlak achter elkaar, in de maat, want anders zouden ze struikelen. Omdat Teti nog mank liep van zijn gevecht met Rauman, kwamen ze maar langzaam vooruit. Mevrouw Feex liep er ontspannen achteraan. Al porde ze af en toe met haar wapen in Raumans rug, als ze vond dat het niet snel genoeg ging.

Toen ze uit het zicht verdwenen waren, zuchtte Milan opgelucht. Hij sprong weg van het mierennest, rukte zijn kleren van zijn lijf en sloeg en mepte alle vette slurfmieren van zich af. Zijn bleke vel was bezaaid met rode vlekken en bultjes, en de jeuk was gruwelijk. Milan klopte zijn kleren uit tot op de laatste mier en trok de rugzakken weg uit de mierengevarenzone. Daarna plofte hij neer op een omgevallen boom.

Wat moest hij doen? Zo snel mogelijk naar de uitgang, of hier blijven en een list verzinnen? Eerst moest hij wat eten en drinken. En even bijkomen. Hij pakte zijn rugzak en haalde er een rol koekjes en een blikje cola uit.

De kleine optocht schuifelde uren verder. Eerst ging het naar het einde van de Tweede Hal, en toen nog een paar korte tunnels door. Uiteindelijk bereikte het gezelschap onder leiding van Victoria Feex de Derde Hal, die veel kleiner was dan de Eerste en de Tweede. Aan het einde van de Hal was een lieflijk meertje waarin, uit een overhangende, met druipsteen overdekte rots langzaam een dampende vloeistof druppelde: de Bron des Levens!
'Milan had gelijk, toen boven op de berg,' fluisterde Max tegen Makoto. 'Die bron ruikt inderdaad naar Zwitserse poederkaas, zure haring en heel erg oude erwtensoep.'
'Hmmm.'
Het krioelde op deze plek van het leven. Planten kronkelden en bloemen vouwden hun knoppen open. Insecten, vleermuizen en vogeltjes leken spontaan uit het niets te ontstaan. Ze vlogen op uit de schaduwen onder de rots. Overal kropen, sprongen, fladderden en renden diertjes rond die leken op muizen, hagedissen, katten, kikkers, kangoeroetjes, slangen en alles daartussenin. Zelfs de overhangende rots zelf leek te leven. Het licht dat de rots uitstraalde, nam toe en dan weer af. Stoom ontsnapte in een ritme dat op een ademhaling leek.
Het leven aan de oever van de poel was wreed vertrapt. Overal lagen dode wezentjes en kapotte bloemen in de

modder. Er stond een rijtje jerrycans, en de poel stond half droog.

'MMMMH! ... MMWOMMM!' klonk het uit de richting van de boom die het dichtst bij het meertje stond. Iedereen keek op en zag het paarse gelaat van een man met een baard die aan de boom vastgebonden zat. In zijn mond zat een prop.

'Kijk eens aan,' zei mevrouw Feex. 'Hij leeft nog ... Maar ja, we hebben niets aan hem, met dat gebroken been.'

'Als Andersom uit de Bron drinkt, is hij zo weer genezen,' merkte Teti op. 'Dan kan hij helpen je Bronwater te dragen.'

Feex keek naar de rij jerrycans en fronste. Daar had ze nog niet aan gedacht. Haar gevangenen uit de Bron te drinken geven, zodat ze sterk genoeg waren om alle jerrycans in één keer naar de uitgang te dragen. Dat zou flink wat tijd schelen ... Uiteindelijk knikte ze. 'Geef de professor maar een glaasje Bronwater en maak hem aan jullie optochtje vast.'

De gevangenen haalden in optocht een bekertje water uit de Bron en knielden bij professor Anders Andersom neer. Hij was overdekt met bulten van allerlei insectenbeten en hij begon ongelooflijk hard in het Deens te schelden, toen de prop uit zijn mond gehaald werd. Het meeste van wat hij zei, ging over mevrouw Feex en hoe ze volgens hem leek op insecten die van uitwerpselen leven. Maar we zullen zijn scheldpartij hier niet letterlijk weergeven. Toen Andersom een klein beetje gekalmeerd was, mocht hij drinken uit de Bron. Direct na de laatste slok greep hij verbijsterd naar zijn gebroken been. 'De pijn is weg?!' mompelde hij en hij krabbelde overeind.

PANGG!

Mevrouw Feex had vlak naast Andersom in de aarde geschoten. 'De pijn kan zo weer terugkeren,' zei ze kortaf. 'Bind hem vast!' snauwde ze.

En ook professor Anders Andersom werd in de rij vastgebonden. Vervolgens schuifelden ze naar het strandje dat de poel omringde.

Victoria Feex lachte hinnikend en wees op een rij grote jerrycans die langs de oever stond. 'Ik denk dat jullie er allemaal wel twéé kunnen dragen, na een slokje krachtdrank. Hup maar, mijn mannetjes!'

'Maar ...'

PANGG!

De kogel suisde rakelings langs Max' oor.

'Geen vragen of opmerkingen, jongeman. Daar hebben we niets aan.'

Bluthblaer knielde aan de waterkant en schepte het bekertje opnieuw vol.

'Het maakt jullie sterk, mijn lieverds, maar daar hebben jullie niets aan, zolang ik deze heb.' Mevrouw Feex aaide tevreden haar wapen en glimlachte poeslief.

Een voor een dronken ze en vervolgens pakten ze ieder zonder veel moeite twee jerrycans op, die elk minstens twintig kilo wogen.

'Mooi ... mijn lieve hulpjes ... Daar gaan we weer!'

Milan had het zich ondertussen gemakkelijk gemaakt op een knus plekje tussen twee enorme boomwortels. Hij had ooit op Discovery Channel gehoord dat de beste ideeën komen als

je slaapt, dus daar hoopte hij nu maar op. Hij sloot zijn ogen en wachtte tot de slaap kwam. Het was vanwaar hij zat een heel eind naar de Bron, had hij begrepen, dus het zou uren duren voordat Feex met haar gevangenen terugkwam.
De slaap wilde niet komen. Af en toe zakte Milan wel even weg in warrige dromen over mierachtige olifanten en vrouwen met geweren, maar steeds schrok hij weer wakker van krijsende dieren. Of van het griezelige gevoel dat er iets of iemand naar hem keek. Geen enkele game had hem er echt op voorbereid helemaal alleen in een onderaardse jungle te zijn. Uiteindelijk kwam hij maar weer overeind. Hij besloot te kijken wat er allemaal in de rugzakken zat. Misschien kwam hij iets tegen wat hij als wapen kon gebruiken.
Een voor een haalde hij de rugzakken leeg. Zijn eigen rugzak, die van Max, die van Teti ... **Kleren, slaapzakken, eten, bestek, touw, wat gereedschap** ... Het leek hem allemaal waardeloos, als je een gewapende gek tegenover je had. Tot slot begon hij aan Makoto's rugzak, en al snel stokte de adem hem in zijn keel. Dat was ... een tabletcomputer! Nee, sterker nog, dat was zíjn tablet! Hoe kwam dat ding hier? Makoto moest hem in zijn rugzak hebben gestopt toen ze uit het vliegtuig sprongen! Maar waarom had hij hem niet teruggegeven? Had Makoto hem willen stélen? Dat was belachelijk. Makoto gaf niets om apparaten, en bovendien was zijn familie stinkend rijk.
Maar goed, wat had hij hier aan zijn tablet? Niets. Of ... zou hij gewoon even spelen? Tien minuutjes *Baboon Empire*? Wel saai, in je eentje, *offline* ... Maar beter dan niets. Nee! Onzin. Geen tijd voor. Het leek wel alsof hij verslaafd was. Niet doen. Milan stopte zijn tablet in zijn

eigen rugzak en nam de rest van Makoto's spullen door.
Geen wapens.
Hij sprong op. Misschien moest hij teruggaan naar de gebouwtjes buiten de grot. Wie weet waren er wel reddingswerkers gearriveerd, die naar hen op zoek waren. Hij deed zijn rugzak om en begon te lopen.
Maar nog geen honderd meter verder stopte hij weer.
Dat was het!
Hij moest gewoon doen alsof dit alles een game was. Een ingewikkelde *adventure game*. Daarin was ook nooit meteen duidelijk hoe je de vijand moest verslaan. Je moest slim zijn, de omgeving verkennen, mogelijkheden onderzoeken ... Milan keek rond. Wat kon hij gebruiken? Hij hoefde alleen maar een rare oude vrouw te verslaan. En hij had het voordeel van de twijfel ... en ... Milan knipperde met zijn ogen. Hij had al dagen niet gespeeld ... Als hij nou eerst eens, om weer een beetje scherp te worden, *Baboon Empire* opstartte? Eén kleine slag tegen de farao leveren en dan déze game hier in die maffe grot spelen.
Hij ging tegen een boom zitten, pakte zijn tablet en zette hem aan. Nee, hij was niet verslaafd aan het spel. Echt niet. Het was juist heel nuttig om nu even te gamen ... Gewoon even zijn hersentjes prikkelen. Toch?

Ondertussen legde Victoria Feex de terugweg met haar gevangenen sneller af dan de heenweg. De slokken die ze uit de Bron hadden genomen, hadden er niet alleen voor gezorgd dat ze zich sterk en uitgerust voelden, bovendien was Teti's verzwikte enkel genezen.

‘Ze moet toch voor we bij de uitgang zijn een keer slápen, die vrouw?’ vroeg Max zich op een zeker moment af.
Dokter Bluthblaer lachte schamper. ‘Ze heeft líters uit die bron gedronken ... Bovendien zit ze propvol elektronica. Heb ik zelf in haar lijf gestopt. Ze draait voor driekwart op programmaatjes die ik geschreven heb. En helaas ben ik daar heel erg goed in ... Ze is tien keer sneller dan een normaal mens ... Je hoeft niet te proberen iets uit te halen. Ze kan weken doorgaan zo.’
‘Heel fijn, lieve Bluthie,’ zei mevrouw Victoria Feex. ‘Dat je even toelicht hoe geweldig ik ben. Nu weer mondje dicht en doorlopen.’

11. Milan speelt een game

Pinggg!

Maar ... Dat geluid hoorde helemaal niet bij *Baboon Empire*. Milan schakelde verward naar een ander venster op zijn tabletcomputer.
Nieuw netwerk gevonden, las hij.
Een draadloos netwerk? Hier? Dat kon toch helemaal niet? Maar op hetzelfde moment kwam Max' poolvos over het pad aanrennen. Kwam de vos hem waarschuwen dat ze eraan kwamen? Milan zocht in het struikgewas naar een plek waar geen slurfmieren zaten, en verstopte zich toen tussen de bladeren.
Hij boog zich over zijn tablet. De vos krulde zich op aan zijn voeten. Het nieuwe netwerk dat zijn tablet gevonden had, heette **ViFe**.

Victoria Feex!

Wat had Teti ook weer gezegd over die vrouw? Dat ze een halve robot was, toch? Propvol elektronica ... Milan hoorde stemmen in de verte. Ze kwamen eraan! Hij klikte op 'verbinden'.
Voer wachtwoord in.
Milans lange vingers dansten over het scherm. Nu voelde hij zich thuis. Dít was zijn ding. Hij startte zijn illegale wachtwoordenzoeker op en liet het programma draaien.

De gevangenen van Victoria Feex kwamen de bocht om. Milan dook in elkaar. Zijn programaatje werkte geruisloos duizenden wachtwoorden af, terwijl het hem om informatie vroeg over het netwerk '**ViFe**'. Hoe meer informatie, des te

gerichter kon zijn programma zoeken. Milan toetste alles in wat hij wist over Victoria Feex, dokter Bluthblaer en VitaFeex.
De optocht liep nu vlak langs hem. Hij keek op en zag Victoria Feex. Haar ogen flitsten heen en weer als lasers, ze vonkten haast van oplettendheid. Milan hield zijn adem in. Eindelijk waren ze voorbij. Heel zacht kon hij weer ademhalen.
'Pinggg!' klonk het toen luid, midden in de stille jungle. Direct stond Victoria Feex roerloos stil.
Wachtwoord: droevigespinazietaart134. Er is nu verbinding met het netwerk stond er op Milans scherm. Hij tipte het scherm aan, om te kijken waarmee hij nu precies contact had gemaakt.
'Terug!' snauwde mevrouw Feex. **'We lopen terug. Ik hoorde iets wat hier niet hoort.'**
Stap voor stap hobbelde de rij gevangenen achteruit.
Milan vond programma's waar hij nog nooit van gehoord had: *SpierControl, MaagsapVersterker, HartritmePepper* ...
Stuk voor stuk gemaakt door dokter Bluthblaer.
Victoria Feex hield haar gevangenen onder schot. Tegelijk doorboorde haar blik de jungle. Volkomen kalm was ze en ze straalde uit dat ze alles onder controle had.
BlikVerscherper, KuitenPomp ... Wat moest Milan doen? Hij kon de programma's niet uitschakelen, niet verstoren, niets ...
Nog tien stappen terug, dan zou Feex hem zien. Misschien al eerder. Milan dook nog dieper in elkaar en zijn vingers bleven over het scherm dansen.
KarakterVersterker ... wat was dat nou weer? Hé... dit was minder beveiligd ... Je kon dit wel updaten ... Maar

waarmee? Wacht eens ... In *Baboon Empire* ... Hij opende zijn game en tipte 'Instellingen' aan ...
'Kom maar uit de bosjes, jongetje.'
Milan keek op. Recht in de loop van een wapen.
'Húp, húp.'
De poolvos vloog naar haar enkels, heel even was Victoria Feex afgeleid. Snel raakte Milan een paar toetsen aan op zijn scherm. Hopelijk was dat genoeg. Toen schopte Feex de vos aan de kant en richtte haar wapen weer op Milan. Langzaam kwam hij overeind, terwijl hij wat dode bladeren over zijn tablet schoof. Verschrikkelijk, om zijn arme iPadje hier zo achter te moeten laten ...
'Goed zo.' De blik van Victoria Feex flitste heen en weer tussen Milan en haar andere gevangenen. 'Neem een liaantje mee en bind jezelf maar vast aan de optocht ... Het wordt steeds gezelliger hier!' Ze grinnikte krankzinnig en gebaarde met haar wapen dat Milan moest opschieten.
Milan sjokte naar de andere gevangenen. Max keek hem verwijtend aan, kwaad dat Milan zich zo makkelijk had laten pakken. Milan haalde zijn schouders op. Hij had geen flauw idee of zijn plannetje zou werken. Hoelang het updaten zou duren, wist hij ook niet. Langzaam begon hij zijn voeten aan die van prof Andersom vast te binden. Hij maakte een slappe lus in plaats van een knoop.
'Opnieuw,' siste de oude vrouw. 'En dat is meteen je laatste kans.'
Milan boog zich over de liaan.
Pinggg! klonk het uit de struiken.
'Wat was dat?!' Als door een wilde slurfmier gebeten, keek Victoria Feex om. Ze trippelde achteruit de struiken in

en boog voorover. Terwijl ze nog steeds iedereen moeiteloos onder schot hield, pakte ze de tablet op. 'Wát ís dít?' snauwde ze. '*Update voltooid?*' las ze fronsend op het scherm, en dat waren meteen de laatste samenhangende woorden die uit haar mond kwamen.
Het moment daarop bracht ze haar wapen naar haar neus. Ze snuffelde eraan, keek teleurgesteld en smeet het in de bosjes. Ook Milans tabletcomputer liet ze plompverloren vallen. Ze plofte neer, stak haar duim in haar mond en begon neuriënd heen en weer te wiegen.

Milan grijnsde breed. De blikken van de anderen gleden verbijsterd van Victoria Feex naar Milan en weer terug.
'Update voltooid?' stamelde Max.
Milan knikte. 'In *Baboon Empire* kun je kiezen uit allerlei persoonlijkheden voor je baviaan. Ik heb voor haar Babba BabyBaviaan gekozen.'
Bij het horen van die naam begon Victoria Feex te stralen. 'Babba!' riep ze blij. 'Ikke Babba! Babba, honger!' en ze sloeg met haar hand door de dorre bladeren op de grond.
Milan was als eerste weer bevrijd. Hij viste snel Victoria's wapen uit de bosjes en gaf het aan Teti. 'Misschien kun jij maar het beste die kerels in de gaten houden?'
Teti knikte, en terwijl Milan de liaan rond zijn enkels losmaakte, zei hij: 'De Geesten hadden gelijk, toen ze jou stuurden. Vergeef me mijn twijfel, Milan ... Je bent geen strijder zoals we die vroeger hadden, maar een moderne ... Pétje af!'
Max keek Milan bewonderend aan. 'Ja, vét goed, man!'

Milan keek naar Makoto, die nog vastgebonden zat. 'Wat moest jij eigenlijk met mijn tablet?' vroeg hij toen.
Makoto zei niets en peuterde aan de liaan om zijn enkels.
'Waarom gaf je hem niet terug?'
'Hmmm ... Je had hem niet nodig.'
'Maar ...'
Makoto keek op. 'Je vroeg er niet om.'
'Maar ...'
'Anders was de batterij allang leeg geweest.' Makoto was los en kwam overeind.
'Wist je dan dat we hem nodig zouden hebben?'
Makoto glimlachte, maar zei niets.
Milan keek beteuterd, maar voor hij nog iets kon zeggen, kwam Max bij hen staan. Hij sloeg zijn armen vriendschappelijk om de schouders van Milan en Makoto. 'We zijn met zijn drieën gewoon een superteam! Samen kunnen we alles doen!'
Makoto knikte instemmend. 'Hmmm!'
Milan glunderde. Hij had iets voor elkaar gekregen in de échte wereld, en niet alleen op zijn tablet. Iets waarop hij trots kon zijn.

'Kom,' zei Teti, toen ze de handen van Bluthblaer en Rauman stevig vastgebonden hadden. 'We moeten de boel hier op orde brengen. Dat water moet naar de Bron worden teruggebracht en we moeten een banaantje voor mevrouw Feex zoeken. Daarna moeten we ook buiten de grotten alle sporen uitwissen. En ik moet het geheugen van die plunderaars wissen. Als dat alles gebeurd is, is het hoog tijd dat jullie weer naar huis gaan.'

Max, Milan en Makoto knikten en dachten alle drie tegelijk heel even spijtig aan de Nolympische Spelen die ze gemist hadden. Maar ach, dit avontuur was ook niet slecht. Misschien zelfs nog wel beter dan die Spelen.
Max knielde en aaide de poolvos, die blij zijn hand likte. 'Jou ga ik wel missen als ik weer thuis ben.'
De vos blafte schor en hapte speels naar de neus van Max. Geschrokken rolde die achterover, en bijna meteen kwam hij krijsend weer overeind.
'Waaah! Slurfmieren! Hélp!' Max rende weg en maakte enorme bokkensprongen, terwijl hij zich overal krabde en wild om zich heen trapte.
Blij blaffend huppelde de vos achter hem aan. Milan, Makoto en Teti rolden om van het lachen, en naast hen in het gras klapte mevrouw Victoria Feex vrolijk in haar handjes.
'Banaantje!' kraaide ze. Banaantje!'

Tips voor een boekbespreking

'Moeten we iets doen?'
'Hmmmm ...'

BESPREEK DIT BOEK NIET IN DE KLAS, WANT BOEKBESPREKINGEN KUNNEN LEIDEN TOT SCHADE AAN DE STEMBANDEN!

De schrijver en de uitgever van dit boek zijn NIET aansprakelijk voor schade of rampen die voortkomen uit een boekbespreking!

Als je **echt** niet anders kunt, en **toch** een boekbespreking houdt, vertel dan vooral **niets** over:
1. De Nolympische Spelen (Welke sporten doen mee? Wat is het logo? Waar worden ze gehouden? Op wikipedia zul je **niets** vinden.).
2.Oersoep uit de Bron des Levens (Het recept is geheim! Je zult er zeker niets over vinden op websites met kookrecepten.).

Wel kun je **alles** vertellen over:
1.~~Eskimo's~~ Inuit, sjamanen en totemdieren (Vlieg even naar Noord-Canada, praat met de mensen daar en neem foto's: dan weet je **alles**.).
2.Walrussen, poolvossen, ijsberen en goud-groen gestreepte bavianen (Zoek ze op in de dierentuin en interview ze: dan weet je **alles**.).
3.Vulkanische grotten, uitgestorven diersoorten, grotschilderingen, vliegrampen en tabletcomputers (Dat is makkelijk: daar weet je natuurlijk **alles** al van.).

‘Tjeempie, zo lijkt een boekbespreking dus misschien bijna wel een heel klein beetje op een game!’

(Aldus Milan, die nu echt geen tijd meer heeft, want hij moet weer online.)

Quiz

1.Een sjamaan is een:

a) oude Inuit;

b) halfvolle maan;

c) pan die je gebruikt om asperges in te koken;

d) genezer met magische krachten.

2.*Baboon Empire* is:

a) een game die je online kunt spelen;

b) een koninkrijk naast het oude Egypte;

c) een verzinsel van de schrijver;

d) iets wat Milan in het boek niet begrijpt.

3.Bij sumoworstelen wint vaak degene:

a) die de meeste sumoworst gegeten heeft;

b) die het grootst en het zwaarst is;

c) met de grootste mond;

d) die het meest getraind heeft.

4.Als je van een viaduct naar beneden skate, dan:

a) krijg je misschien een bekeuring;

b) kun je harder gaan dan 50 km per uur;

c) kun je je onderkaak breken;

d) ben je misschien snel thuis.

Antwoorden: 1d; 2c; 3bd; 4abcd

Lees ook:

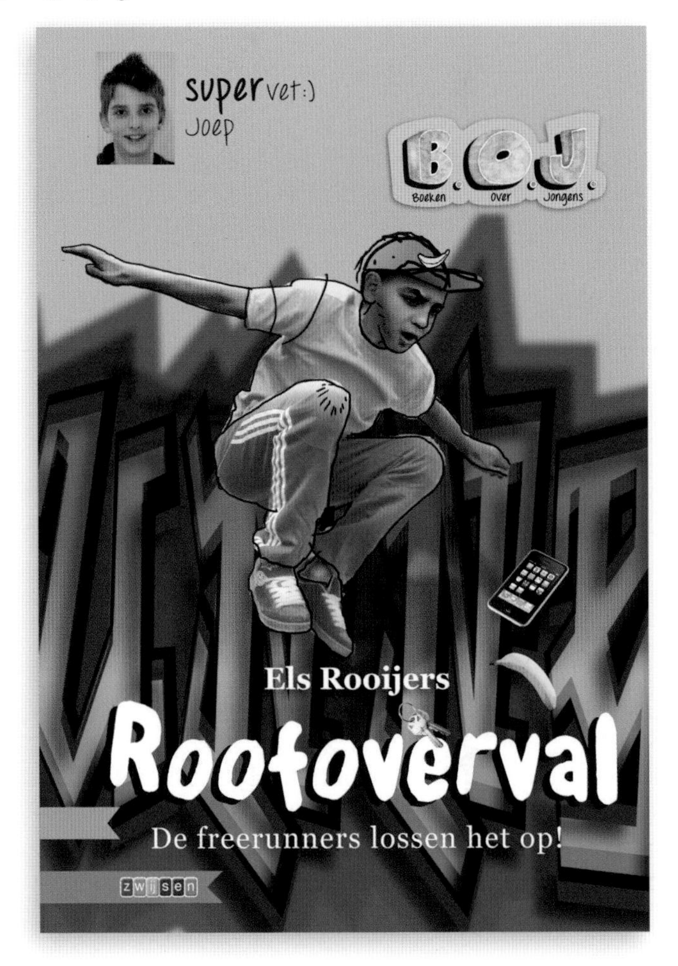

Niels, Pepijn en Adil zijn dikke vrienden en fanatieke freerunners. Ze klimmen op daken en maken salto's over stegen. **Stoere gasten** zijn het en zeker geen pannenkoeken!
Bij toeval zien ze een gewapende roofoverval op de juwelierswinkel van de oom van Adil. Er volgt een wilde achtervolging. **Pakken die boeven!** Maar is het wel toeval dat deze drie freerunners in dit woeste avontuur terecht zijn gekomen?

Brent wordt opgejaagd door een fluittoon in zijn hoofd. Het geluid houdt niet op, steeds maar **Ziiiiii**... Hij wordt er knettergek van. De enige manier om het nare geluid te stoppen, is door naar het zuiden te reizen. Steeds maar verder en verder.
En hij is niet de enige dertienjarige die door de geheimzinnige toon wordt opgejaagd. Wat is er toch aan de hand?

Dit is het eerste boek over Brent. Het is net een achtbaan: spannend en vol verrassingen. Je leest het in één adem uit.